# Y Môr a'i Dollau

J. O. Jones

Argraffiad cyntaf—1994

ISBN 1 85902 067 4

ⓗ J. O. Jones, 1994

Dymuna'r cyhoeddwyr gydnabod cymorth Adrannau'r Cyngor Llyfrau Cymraeg.

*Argraffwyd gan*
*J. D. Lewis a'i Feibion Cyf., Gwasg Gomer, Llandysul, Dyfed*

Er cof
am fy chwaer,
Joan

Pentref bach yw Borth-y-gest wedi ei godi o gylch bae yn aber Afon Glaslyn ac Afon Dwyryd. Wynebai fy nghartref y môr, a thros Afon Glaslyn mae'r pentref sy'n enwog heddiw fel Portmeirion ond a adwaenid fel Aber-iâ pan oeddwn i'n fachgen. Gyferbyn â'r bae mae Castell Harlech yn llechu dan fynyddoedd Meirionnydd, Castell Cricieth i'r dde, a chylch o fynyddoedd yn gefndir—Moel y gest, Moel Hebog, Moel Ddu, Yr Wyddfa, Moel Siabod, Y Cnicht, Y Moelwyn Mawr a'r Moelwyn Bach.

Cymdeithas glòs o ffermwyr a thyddynwyr oedd Eifionydd nes i'r rhamantydd mawr, William Alexander Maddocks, godi cob o Ynys Fadog i'r Ynys Gron ym Meirionnydd, a thrwy hynny ddod â Thremadog a Phorthmadog i fodolaeth. Fel llawer i deulu arall symudodd fy nheulu o Gwm Pennant i fod yn nes at y diwydiannau newydd. Pan oeddwn yn fachgen roedd gen i deulu yn byw yn amryw o'r ffermydd a'r tyddynnod cyfagos—Ffarm y Borth, Tyddyn Engan, Tyddyn Adi, Tŷ Mawr, Gwyndy, Glan-don, Cefn a Thyddyn Llwyn a chawn groeso ym mhob un ohonynt. Fel y dywedodd T. H. Parry Williams am ei fachgendod yn ei ysgrif 'Bro':

> Pan oeddwn i'n hogyn pereriniol gynt—nyni oedd biau'r cyfan, ein bro ni oedd hi. Nid oedd eisiau caniatâd i grwydro yn unman. Mynd, a dyna ddiwedd arni. Pwy bynnag oedd deiliaid neu berchenogion y tir—nyni oedd biau'r cyfan. Nyni oedd y brofeddianwyr. Roedd gennym ni hawl i fynd i'r fan a fynnem.

Cawn groeso arbennig gan fy nghyfyrder Rob a'i dad yn Ynys Pandy. Dysgais ladd gwair â phladur yno a mwynhau cig moch cartref ac wyau ar ôl llond powlen o datws llaeth. Gallaf gofio hyd heddiw aroglau'r cig moch yn ffrio ar ben y tân mawn! Olwen Eryri, chwaer Rob, oedd athrawes olaf Ynys Enlli. Bu un o'r teulu, hefyd, yn byw ym Mron-y-foel, cartref yr enwog Syr Hywel y Fwyall, ac er bod y tŷ yn adfeilio ar y pryd, bûm yn chwarae llawer yno. Gyda darn o bren yn fy llaw yn fwyell, byddwn yn ymlid dafad, ac yn fy nychymyg yn hysio fy ngheffyl er mwyn torri pen ceffyl brenin Ffrainc yn glir o'i gorff ag un ergyd â'r fwyell, fel y clywais i Syr Hywel wneud ym mrwydr Poitiers.

Fel teulu'r Garreg Wen yr adwaenid ni yn yr ardal gan fod Richard Jones, Garreg Wen gynt, yn ewythr i 'Nhad, a'i wraig yn fodryb i Nain. Yng Ngharreg Wen yn y flwyddyn 1711 y ganwyd y telynor David Owen, Dafydd y Garreg Wen, a bu farw'n hen lanc yn y flwyddyn 1741 er gwaethaf geiriau Ceiriog sy'n sôn am 'ei weddw a'i blant'. Etifeddais i ddim dawn gerddorol o unrhyw fath, a maes carafanau o'r un enw yw'r ffarm bellach a siop fechan yw'r hen ffermdy! Honnir mai wrth y maen mawr ar ben Banc Uchaf y cyfansoddodd Dafydd 'Codiad yr Ehedydd', ond, yn ôl traddodiad y teulu, syrthio i gysgu a wnaeth wrth y maen gyda'i delyn am ei fod yn rhy feddw i fynd ymhellach ar ôl iddo fod yn canu ei delyn mewn noson lawen yn hen blas y Borth.

Ymffrostiai Nain fod ei nain hi'n chwaer i Ellis Owen o Gefnmeysydd a sefydlodd gymdeithas lenyddol ddigon nodedig yn ei ddydd. Ysgrifennydd y gymdeithas oedd Robert Jones— hen daid 'Lord Snowdon'. Roeddwn i'n synnu nad oedd yr Athro T. Ceiri Griffith wedi cynnwys ei deulu ef yn *Achau ac Ewyllysiau Teuluoedd De Sir Gaernarfon*, ond efallai ei fod am adael allan y rhai a gollodd eu Cymraeg!

Er mai fel 'pobl ddŵad' yr edrychai hen deuluoedd Eifionydd ar y mewnlifiad i Dremadog a Phorthmadog, am ryw reswm cymerodd y ffermwyr at y môr fel hwyaid. Mae'n rhyfedd sut y datblygodd Porthmadog yn borthladd gan fod Afon Glaslyn yn troi a throsi am oddeutu dwy filltir trwy'r tywod at y bar sy'n rhedeg fwy neu lai o Harlech i Gricieth. Byddai croesi'r bar yn ddigon o antur ynddo'i hunan, ond wedi croesi roedd rhaid i'r llongau osgoi Sarn Badrig sy'n estyn i'r bae am ugain milltir i'r de. Mae'n bosibl mai'r arwedd ddaearegol ryfedd yma yw sail chwedl Cantre'r Gwaelod gan ei bod mor debyg i glawdd cerrig. I'r gogledd mae Porth Neigwl a lysenwyd gan y llongwyr yn *Hell's Mouth* gan i gymaint o longau gael eu dryllio yno. Oherwydd hyn y cynlluniwyd brigs a sgwners mor wych.

Adeiladwyd y llongau i gario llechi Ffestiniog i bob rhan o'r byd, ond does neb a ŵyr pwy a ddysgodd eu crefft i'r adeiladwyr. Roedd fy hen daid yn un o'r adeiladwyr, ac ym Morth-y-gest cododd William Griffith, a fu'n was ffarm, ryw ddeunaw o longau. Adeiladwyr llongau enwocaf Borth-y-gest, fodd bynnag, oedd Richard Jones, Garreg Wen a Simon Jones, a cheir eu hanes yn llyfr ardderchog Aled Eames *Portmadoc Ships*. Erbyn diwedd y ganrif ddiwethaf roedd sgwners Porthmadog yn fyd-enwog ac er mai llongau masnach oeddynt adwaenid nhw ym mhobman fel *The Western Ocean Yachts* oherwydd eu defnyddioldeb a'u prydferthwch.

Roedd fy hen daid, fy nau daid a'm tad yn gapteiniaid llongau, a phan oeddwn i'n fachgen roedd un ar hugain o gapteiniaid yn byw 'lawr Borth', sef rhwng Garreg Llam a rhiw Porthmadog. Fy hen daid, Owen Williams, perchennog y sgwner *Mercy*, a gododd y seithfed tŷ ym Morth-y-gest ar y llaw dde lle mae lôn Morfa Bychan yn cyrraedd y traeth, hanner ffordd rhwng hen Dafarn-y-gest a 'thai'r peilats'—tai a godwyd ar sylfeini hen blas y Borth. Does dim tafarn yn y pentref erbyn hyn gan i Capten Parry, a oedd yn flaenor Methodistaidd ac yn llwyrymwrthodwr, ei phrynu a'i chau. Yn eironig braidd, gŵr olaf y dafarn oedd Llew Madog, awdur fy hoff emyn dôn, 'Tyddyn Llwyn'. Roedd Evan Williams, tad Mam, hefyd yn berchennog sgwner fechan, a threuliodd ei oes yn hwylio'r glannau'n llwyddiannus. Suddwyd ei sgwner *Walter Ulric* ym 1917 gan long danfor Almaenig a bu rhaid iddo ef a'i fab a'r criw rwyfo i'r lan yng Nghernyw yng nghwch bach y llong. Aeth i'r môr yn un ar bymtheg oed fel *cabin boy* ar y sgwner *Confidence* a cheir hanes cysylltiad y sgwner hon â Garibaldi gan Aled Eames yn ei lyfr. Honnir bod Garibaldi, y gwladgarwr Eidalaidd, wedi dianc rhag y Brenhinwyr o Reggio ar y *Confidence* a'i fod wedi rhoi ffon a chrafat coch i Capten Lewis yn arwydd o'i ddiolchgarwch. Er nad oes amheuaeth na wnaeth Capten Lewis ryw ffafr i Garibaldi nid yw hwnnw'n sôn dim am y digwyddiad yn ei hunangofiant, a methodd Aled Eames gael yr awdurdodau yn Rhufain i gadarnhau'r hanes.

Credaf y gallaf daflu mwy o oleuni ar y mater gan i mi glywed Taid yn sôn am y fordaith hon pan oeddwn i'n fachgen bach. Roedd dros ei bedwar ugain pan glywais ef yn disgrifio sut y bu i Lifftenant Garibaldi gysylltu'n ddirgel â Capten Lewis a sut y cafodd ei smyglo ar fwrdd y *Confidence* ganol nos. Cyn iddynt hwylio daeth rhyw siw i glyw'r awdurdodau a mynasant archwilio'r llong yn drwyadl cyn gadael iddi fynd. Ni ddaethant

Capten Griffith Jones, fy nhaid, a foddodd gyda'i fab William.

o hyd i neb gan i'r Lifftenant gael ei rowlio o fewn un o hwyliau'r llong a'i guddio yn y *sail locker*. Wedi hwylio, gorchwyl Taid oedd gweini arno a chyn gadael y llong rhoddodd Lifftenant Garibaldi ffon a chrafat coch yn anrheg iddo. Hyd yn oed yn ei bedwar ugeiniau byddai'r hen ŵr yn ddigon dig wrth ddweud i'r Capten fynd â nhw oddi arno, ond sut y gallai *cabin boy* wrthsefyll dymuniad ei gapten? Mae tystiolaeth ar gael i fab Garibaldi ddod i Brydain a chan mai fel Lifftenant Garibaldi y cyfeiriai Taid ato bob amser, damcaniaeth fy mrawd a minnau yw mai'r mab a achubwyd ac a fu ar y llong ac nid y Cadfridog ei hunan. Gan fod cystrawen y Gymraeg braidd yn amwys gallai Lifftenant Garibaldi olygu 'un o lifftenantiaid Garibaldi', ond os felly mae'n rhyfedd na chlywsom erioed ei enw.

Eilliodd Taid ddim unwaith erioed a doedd ei farf ond brith pan fu farw yn 87 mlwydd oed. Er bod ar fy nghyfeillion ei ofn braidd oherwydd y farf a'r ffon a gariai bob amser, roeddwn i'n hy iawn arno ac yn trotian ar ei ôl i bobman. 'Gad le i mi boeri,' fyddai ei gerydd cyson. Wrth wrando ar ei sgwrs dros swper wrth i ni rannu dysglaid o frwas neu fara llaeth ar fwrdd ei gegin byddwn yn clywed llu o hanesion, a gresyn nad wyf i'n cofio mwy ohonynt gan iddo fod yn un o'r *Morocco Coast traders* na wyddom lawer o'u hanes. Cerddai o'i gartref i'n tŷ ni ar ganol y ffordd a phan grefai Mam arno i gerdded ar y palmant rhag ofn y ceir, atebai: 'Roeddwn i ar y ffordd o flaen y tacla!' Chlywais i mohono erioed yn cyfeirio at Borthmadog ond fel Tywyn—yr hen enw ar y pentrefan cyn dyfod Mr Maddocks.

Pan oedd hi'n blentyn dywedai Mam y byddai Taid yn edrych arni'n chwarae â'i doli bren ac yn dweud:

'Wyddost ti be—mi welais i ddoli yn Hambro (Hamburg) efo wyneb tseini a gwallt melyn go-iawn. Rhaid i mi ddod ag un adre i ti'r fordaith nesaf.'

Pan glywai Mam i long ei thad gyrraedd 'nôl i Borthmadog taflai'r ddoli bren i gornel a rhedeg i'r porthladd i'w gyfarfod.

'Ydy'r ddoli gynnoch chi, 'Nhad?'

'Chofiais i ddim byd amdani,' fyddai'r ateb dro ar ôl tro ac âi Mam adref yn drist i ailgydio yn y ddoli bren. Er iddi gael y ddoli tseini o'r diwedd, dengys yr hanes i mi y fath newid fu yn agwedd rhieni tuag at eu plant mewn un genhedlaeth.

Ganwyd Griffith Jones, tad fy nhad, ym 1843 a boddwyd ef a'i fab hynaf, William, ar y sgwner *G. & W. Jones* a gollwyd ar arfordir Norwy ar yr unfed ar bymtheg o Dachwedd 1888. Roedd fy nhad, Griffith Jones, yn un ar bymtheg mlwydd oed pan ddigwyddodd y drychineb a bu rhaid iddo wynebu'r cyfrifoldeb o gynorthwyo'i fam i fagu tair chwaer a thri brawd oedd yn iau nag ef. Nid clywed i'r llong suddo a wnaeth y teulu

Fy nhad, Capten Griffith Jones.

ond clywed ei bod 'heb gyrraedd ar yr amser penodedig', a byddai 'Nhad yn dod â dagrau i'm llygaid wrth ddisgrifio'r ffordd y bu am fisoedd wedyn yn rhedeg i Garreg Llam bob tro y gwelid hwyl ar y gorwel gan obeithio fod ei dad a'i frawd mawr wedi dychwelyd yn ddiogel. Cofiaf ef yn dweud i ddau ewythr iddo, brodyr ei dad, hwylio i Awstralia, ond collwyd eu llong ar y ffordd a chan na chlywyd gair o'u hanes wedyn mae'n debyg iddynt hwythau hefyd foddi. Wn i ddim beth oedd eu henwau nac enw'r llong, ond ceid colledion creulon tebyg yn aml ym myd y llongau hwyliau, a dim ond tair blynedd wedi i'm taid golli ei fywyd boddwyd John, y brawd agosaf i 'Nhad o ran oed, yn yr Almaen ar ddechrau ei yrfa forwrol.

Aeth fy nhad yn brentis at William Griffith, a oedd yn gwneud hwyliau mewn llofft ar y Grisiau Mawr ym Mhorthmadog. Hwyliodd fel *sailmaker* am ychydig, nid ar longau'r ardal ond ar longau mawr Lerpwl. Cyn iddo fod yn ddeg ar hugain roedd wedi llwyddo yn yr arholiadau i fod yn gapten. Ceir manylion diddorol amdano gan Capten William Henry Hughes, Caergybi, yn rhif deg o *Cymru a'r Môr*, a bu'n 'rowndio'r Horn' am flynyddoedd ar y llongau hwyliau mawr cyn mynd at y stemars. Mae llun y *Cambrian Chieftain*, y llong y bu'n gapten arni gyntaf, yn hongian yn ein cegin a byddaf yn syfrdanu wrth edrych arni y cymerai saith mis i hwylio i Vancouver—siwrnai na chymerodd ond deg awr i mi! Cafodd y frech wen pan adawodd i longwr o India a oedd yn dioddef o'r llid gysgu yn ei gaban, a llongddrylliwyd ef ddwywaith o leiaf —unwaith ar y *County of Pembroke* ac unwaith pan ddaeth i'r lan gyda chath y llong yn ei freichiau! Pan oedd yn gapten ar yr *S.S. Queen* yn ystod y Rhyfel Byd Cyntaf, ymosododd llong danfor ar ei long ar yr wyneb. Llwyddodd y criw i daro'r llong danfor â siêl a chawsant fil o bunnau i'w rhannu rhyngddynt gan y Llywodraeth am yr orchest. Gwnaed *cartridge* efydd y siêl yn *gong* hardd a safai yn fy nghartref ar fwrdd a wnaed gan Llew Madog.

Roedd fy nghefnder, Capten Evan Morris, yn fachgen dwy ar bymtheg mlwydd oed, yn hwylio gyda 'Nhad, pan ddaeth y llong danfor i'r wyneb a dechrau tanio. Galwodd fy nhad ef ato i roi ei waled iddo gan ei bod yn arferiad gan y llongau tanfor gymryd y capten yn garcharor. Cyn gynted ag y symudodd Evan

*Cambrian Chieftain*, barc y bu 'Nhad yn gapten arni.

*Pengwern*, un o longau 'Nhad.

at fy nhad trawyd y man lle bu'n sefyll â sièl! Cafodd y bywyd caled ei effaith a bu 'Nhad adref yn wael am flynyddoedd cyn iddo farw pan oeddwn i'n bymtheng mlwydd oed.

Daeth y stemar ag oes y llongau hwyliau i ben cyn fy amser i, ac roedd y llongwyr wedi gadael eu gwragedd a'u plant gartref ym Morth-y-gest a chael gwaith ar stemars Lerpwl a Llundain lle daeth llawer ohonyn nhw'n gapteiniaid. Yn y pentref, fodd bynnag, adwaenid nhw gan eu cyfoedion yn ôl enw'r llong yr arferent hwylio arni o Borthmadog. Welwn i ddim byd yn hy yn y ffaith ein bod yn cysylltu'r capteiniaid â'u llongau gan fod sawl Griffith Jones, er enghraifft, yn byw gyfagos. Roeddwn wedi cynefino â chlywed 'Nhad yn sôn am Griff *Volunteer*, Hugh *Crocodile*, Johnie *Blodwen*, Bob *Three Janes*, a Bob *Sarah Evans* ond roedd golwg syn ar wyneb fy ngwraig pan ddaeth i'r pentref am y tro cyntaf a chlywed Mam yn sôn am Mrs Jones *Volunteer* neu Mrs Roberts *Crocodile*!

Byddwn wrth fy modd yn gwrando ar fy nhad yn sgwrsio â'i gyfeillion am Uruguay, Paraguay, Yr Horn a chyrrau pella'r byd. Cawn hanes Johnie *Blodwen*, fel yr adwaenid Capten John Richard Williams, yn torri'r record wrth hwylio o Newfoundland i Patras mewn dau ddiwrnod ar hugain, neu sut y llwyddodd Capten Dedwydd i hwylio'r *Theda* o Labrador i Gibraltar mewn deuddeng niwrnod. Storïau eraill a aeth â'm bryd oedd hanes llongddrylliad y *Twelve Apostles* ym Mhorth Neigwl a'r teligram enwog a anfonwyd yn dweud:

*Twelve Apostles making water in Hell's Mouth,*

neu sut y bu i'r brig *Waterloo* gael ei suddo gan forfil ym Môr y Gogledd.

Roedd pob un o'r capteiniaid hyn yn gymeriad arbennig gyda'i brofiadau diddorol ei hunan. Sais a ddysgodd Gymraeg oedd Capten Holding, ond ni phoenodd erioed i feistroli'r treigliadau. 'Sut mae tad, John?' gofynnai, ond welais i neb a feiddiai wenu. Pan fyddai priodas, eisteddfod, *regatta* neu unrhyw achlysur hapus arall i'w ddathlu, chwifiai'r *Red Ensign* o ffenestri llawer iawn o'r tai, ac mae *Red Ensign* y llong yr hwyliodd fy nhad arni ar ei fordaith olaf yn fy meddiant o hyd. Yr adeg honno, yn fy myd i, doedd dim gwrthdaro rhwng y Ddraig Goch a'r *Red Ensign* na rhwng Cymreictod a

Phrydeindod. Ceidwadwyr selog oedd mwyafrif y llongwyr oherwydd eu gwrthwynebiad i 'fasnach rydd' y Rhyddfrydwyr, ond wedi llosgi Penyberth aeth pleidlais fy nhad i Blaid Cymru; nid yn gymaint am ei fod yn erbyn yr ysgol fomio ond oherwydd agwedd ragfarnllyd yr awdurdodau tuag at y Gymraeg yn yr achos yng Nghaernarfon a Llundain.

## II

Gan i 'Nhad fod yn ddi-waith am rai blynyddoedd oherwydd ei afiechyd câi Mam hi'n anodd i gael dau ben llinyn ynghyd. Ychydig o waith oedd i'w gael yn yr ardal ond roeddwn yn awyddus i ddechrau gweithio cyn gynted ag oedd bosibl. Pwysai'r teulu arnaf i chwilio am swydd ddiogel gan fod cymaint o longwyr allan o waith oherwydd y dirwasgiad ac felly penderfynais sefyll arholiad am swydd clerc yn y Gwasanaeth Sifil. Cefais swydd ym mhencadlys Banc y Swyddfa Post yn West Kensington a thrwy gyd-ddigwyddiad hapus roeddwn yn lletya gyda Gwilym Thomas o Dudweiliog a ddechreuodd ar yr un diwrnod. Ein cyflog oedd £7 y mis, a chan fod ein lletya yn costio £6 y mis, roedd yn gyfyng iawn arnom. Buom yn mynychu capeli Walham Green a Hammersmith heb ymaelodi, ond cofiaf i ni gystadlu ym mhob cystadleuaeth a allem yn Eisteddfod y Capeli er mwyn ceisio ennill arian y gwobrau. Er i ni fod yn eithaf llwyddiannus yn yr adran lên, cawsom feirniadaeth lem ar ein hymgais i wnïo twll botwm a chan mai dim ond ni'n dau oedd wedi cystadlu, ataliwyd y wobr!

Erbyn hyn roedd yn amlwg fod Prydain yn paratoi am ryfel a deuthum wyneb yn wyneb â gwrthdaro rhwng fy syniadau heddychol Cristnogol a'r hyn a dybiwn i ar y pryd oedd y ddyletswydd i ymladd yn erbyn Hitler. Bûm mewn cyfyng-gyngor yn hir ynglŷn â hyn, ond wedi i mi benderfynu mai ymladd oedd y gorau o ddau ddrwg, ymunais â'r Llynges ar fy mhen blwydd yn bedair ar bymtheg oed. Er i mi ymuno ar fy mhen blwydd ym mis Mehefin 1940, roedd yn seithfed o fis Hydref cyn i mi gael fy ngalw i'r *Impregnable* yn Plymouth i wasanaethu fel Telegraffydd Cyffredin. Cyflog telegraffydd felly oedd pedwar swllt ar ddeg yr wythnos, ond roedd rhaid anfon cyfran o saith swllt adref er mwyn sicrhau y câi Mam bensiwn bychan pe lleddid fi. Cefais y rhif DJX 224737, a fu'n bwysicach i mi na'm henw am y ddwy flynedd nesaf, a dillad llongwr gyda bathodyn telegraffydd i'w wnïo'n falch ar fy llawes.

Cyn y rhyfel, ysgol i ddysgu bechgyn i fod yn llongwyr oedd yr *Impregnable*, ond ar ddechrau'r rhyfel trowyd y gwersyll yn ysgol i delegraffyddion. Heblaw dysgu bod yn delegraffyddion, roedd gennym i gyd ein dyletswyddau er mwyn cadw'r gwersyll yn lân. Fy ngorchwyl arbennig i oedd sgwrio'r pier a estynnai i'r môr o'r gwersyll am ganllath a mwy. Gorchwyl torcalonnus iawn oedd hwn oherwydd cyn gynted ag y llwyddwn i lanhau ychydig lathenni ymosodid arnynt gan wylanod y môr. Roedd eu baw yn ddigon drwg, ond y sŵn aflafar a wnaent wrth ei ollwng, fel pe byddent yn chwerthin yn faleisus am fy mhen, a'm gyrrai'n wallgof.

Roedd mawr angen swyddogion ar y Llynges ac roeddynt yn chwilio am fechgyn addawol y gellid eu dysgu i forio â siart. Bu magwraeth ar lan y môr o fantais fawr i mi gan y gallwn rwyfo a hwylio a rhyfeddwn weld bechgyn o'r dref yn methu'n lân â chyfarwyddo â phethau a oedd mor naturiol i mi. Cefais gynnig rhoi'r gorau i fod yn delegraffydd a mynd i'r barics i Devonport i ailddechrau fy ngyrfa fel llongwr cyffredin. Wedi'r cwrs yn y barics, gyrrid fi i'r môr fel llongwr am dri mis o brawf cyn dychwelyd, os byddai 'ngyrfa yn foddhaol, i goleg y swyddogion yn Brighton. Gan 'mod i eisoes wedi edifarhau nad ymunais yn llongwr yn y lle cyntaf cytunais ac, ar 26 Tachwedd 1940, anfonwyd fi i'r barics, gyda'r nod o 'mlaen o ddysgu bod yn swyddog.

Cefais hunllefau am hydoedd wedi fy mhrofiad yn y barics, y lle mwyaf dieflig y bûm ynddo erioed. Roedd chwe gwaith cymaint o longwyr yno ag a ddylai fod a doedd wiw i neb adael dim o'i olwg am eiliad neu byddai wedi cael ei ddwyn. Cariai pawb eu harian mewn belt am eu canol ddydd a nos, ond gwelais lawer i hamog wedi ei hollti'n ddestlus a'r arian wedi ei ddwyn tra oedd y perchennog yn cysgu. Trwy drugaredd, cedwid y bechgyn a yrrwyd ar y cwrs arbennig ar gyfer darpar

17

swyddogion, gyda'i gilydd mewn rhan o un o'r ystafelloedd enfawr ar drydydd llawr un o'r blociau. Roedd Robert Newton, yr actor, yn un ohonom nes iddo gael ei ryddhau—'ei wasanaeth bellach yn ddianghenraid'.

Ar ôl iddi nosi rhaid oedd gosod hamog ac anodd oedd credu y gallai cymaint o ddynion gysgu yn yr un ystafell. Cysgem yn ein dillad isaf gyda'n dillad uchaf yn glustog. Doedd dim lle i droi amser gwely. Cofiaf ddod 'nôl yn hwyr un noson a sleifio heibio i'r tai bach drewllyd cyn plygu'n ddwbl i gripian ryw hanner canllath o dan yr hamogau. Doedd wiw gwneud unrhyw sŵn neu byddai'r rhegfeydd o brotest yn ein byddaru. Creai'r golau glas, a losgai trwy'r nos i oleuo'r ffordd i'r tai bach, awyrgylch ac iddi naws arallfydol fel mynediad i borth uffern. Er i'r bwyd gael ei goginio'n warthus, llarpid ef gan y llongwyr ac nid oedd dim i'w gael i'r neb nad ymunai yn y rhuthr.

Bu bron i 'ngyrfa fel darpar swyddog ddod i ben o fewn dyddiau. Roeddem yn dysgu drilio gyda mwgwd nwy ac fel y dysgem bopeth arall, dysgem hyn wrth rifau. Eglurodd yr Is-swyddog:

'Ar y gorchymyn "Un"—trowch eich cefnau at y gwynt, daliwch eich anadl ac agorwch gas eich mwgwd.

'Ar y gorchymyn "Dau"—tynnwch eich mwgwd allan o'r cas.

'Ar y gorchymyn "Tri"—rhoddwch y mwgwd am eich wyneb a sythwch.'

Yn sydyn, gwaeddodd 'Un' a throdd pawb eu cefn at y gwynt dan ddal eu hanadl a dechrau agor cas eu mwgwd. Aeth munud o leiaf heibio a phawb yn ymbalfalu cyn iddo ddweud—

'At bwrpas drilio yn unig, dechreuwch anadlu.'

Er fy ngwaethaf rhoddais bwff o chwerthin a bu ond y dim i mi golli fy lle yn y dosbarth.

Tra oeddwn ar ganol y cwrs, gwastatwyd trefi Plymouth a Devonport gan awyrennau Almaenig, a rhaid oedd i ni roi'r gorau i ddysgu morio a mynd allan bob dydd gyda chaib a rhaw i chwilio'r rwbel am arwydd o fywyd ac i glirio'r heolydd ar gyfer trafnidiaeth. Wrth ddarganfod cyrff yn y cerrig a'r llwch, daethom am y tro cyntaf wyneb yn wyneb â gwir ystyr rhyfel. Clywsom fod y Brenin Siôr y Chweched yn dod i Devonport ac y byddai'n galw'n ddirybudd yn y barics! Digon yw dweud y buom yn gwneud paratoadau mawr ar ei gyfer ac yn ymarfer chwifio'n capiau deirgwaith gan weiddi 'Hurrah!' Pwysleisiai'r Is-swyddog yn gyndyn ar i ni gofio peidio â gweiddi 'Hwrê!'

Wedi gorffen y cwrs anfonwyd fi a'm cyfaill, Gerry Telford o Fanceinion, i ymuno â'r *Blankney*, llong ddistryw newydd *Hunt Class* a oedd newydd gael ei hadeiladu ym Mhorthladd Glasgow. Er bod y *Blankney* yn llong o 1,050 o dunelli, gallai fynd ar gyflymder o 26 o fôr-filltiroedd mewn awr, a chyda dau wn pedair modfedd ar ei bow a phedwar ar ei starn, yn ogystal â gwn pom-pom tu ôl i'r bont, roedd yn gaffaeliad mawr i unrhyw gonfoi. Gan fod y criw yn agos i ddau gant roedd pob *mess* yn orlawn a chefais i a Gerry ein gyrru i fyw yn *mess* A yn y ffocs'l.

Yn y mis yr ymunais i â'r Llynges galwyd dynion naw ar hugain oed i'r lluoedd arfog yn orfodol, ac felly, heblaw'r llongwyr amser llawn, roedd bron pob un o'r bechgyn ar y llong oddeutu deng mlynedd yn hŷn na fi. Roedd Cymro arall yn yr un *mess*, Isaac Griffiths o Gaergybi, a fu'n llongwr ar longau masnach cyn y rhyfel, ond am ei fod yn perthyn i'r RNR galwyd ef i'r Llynges. Gan yr enillai gyflog da ar longau masnach, yn lle'r tri swllt y dydd a gâi bellach, roedd yn casáu'r Llynges â chas perffaith. Gallaf dystio i'w fedrusrwydd fel llongwr, ac wedi'r rhyfel bu'n gapten ar fad achub Caergybi am rai blynyddoedd.

Perswadiodd fi i roi fy enw i lawr am gyfran o rwm, er y gwyddwn nad oedd gen i hawl am nad oeddwn yn un ar hugain oed.

'Fydd neb yn gwybod,' meddai Eic, 'ac os rhoi di ychydig bach i mi fe olcha i dy goler sgwâr di nes byddi di'n edrych fel llongwr go-iawn.'

Roeddwn i'n ddigon bodlon rhannu'r tot o rwm gydag ef gan ei fod cyn gryfed â phum mesur a geid mewn tŷ tafarn. O ganlyniad, o fewn deng niwrnod, fe'm cefais fy hun yn sefyll o flaen y Capten i ateb cyhuddiad, ond cyn clywed y cyhuddiad daeth y gorchymyn:

'Llongwr Cyffredin Jones—dau gam ymlaen—tynna dy gap.'

Y cyhuddiad oedd:

'Fod Llongwr Cyffredin Jones DJX 224737 wedi cymryd ei rwm am ddeng niwrnod ac yntau'n gwybod ei fod o dan oed.'

Nid oedd dim i'w wneud ond gamblo na wyddai'r Capten eto 'mod i'n ddarpar swyddog, ac felly gydag acen mor Gymreigaidd â phosib, atebais:

'Wyddwn i ddim 'mod i'n gwneud dim o'i le, Syr.'

'Pa long oedd dy long ddiwethaf?'

'Barics, Syr, doedd neb yn cael rwm yn y barics ond roedden nhw'n deud y byddem yn ei gael ar y môr.'

Roedd hyn, wrth gwrs, yn wir ar gyfer dynion dros un ar hugain oed.

'Ers faint wyt ti wedi bod yn y Llynges?'

'Tri mis, Syr.'

'Rhybudd!' oedd y dyfarniad.

Bob bore, tra oedd y llong yn yr harbwr, buom wrthi'n ymarfer â'r gynnau. Isaac oedd capten ein gwn ni, sef y gwn blaen, a bu'n ein dysgu i lwytho'r gwn yn gyflym ac yn aml. Fy ngorchwyl i a Gerry oedd codi'r sièls ffug fel y deuent o'r magasîn ym mherfedd y llong a'u taro i'r gwn. Roeddem wedi ymlâdd yn llwyr ar ôl oriau o ymarfer â'r sièls trwm a thrwsgl. Wedi gorffen y treialon yn y Clyde, roedd y llong yn barod i gymryd ei rhan yn y rhyfel a chawsom fordaith gofiadwy trwy'r nos o amgylch gogledd yr Alban i Lerwick yn y Shetlands. Ychydig o nos a fu ac roedd lliwiau'r machlud a'r wawr yn drawiadol o brydferth. Roeddem i gyfarfod â llong o'r enw *Archangel*, a oedd yn llawn o filwyr ar eu ffordd i Loegr, a'i hebrwng ar ei mordaith i'r de.

Y noson honno, yn gorwedd yn fy hamog, teimlwn fy mod yn ymgartrefu ar y llong yn eithaf hapus, ond rhith oedd yr ymdeimlad o fodlonrwydd. Yn sydyn clywais gloch aflafar a sŵn y bib yn ein galw at y gynnau a neidiais o'm hamog gan roi f'esgidiau am fy nhraed. Ar y môr cysgem bob amser yn ein dillad. Erbyn hyn roedd y llong yn cyflymu ac yn troi, ac fel yr esgynnai gydag un don disgynnai fel ergyd i'r cafn cyn y don nesaf. Wedi cyrraedd y gwn mawr doeddwn i'n gweld dim bron gan fod tonnau'n torri dros y bow ac yn ein gwlychu at ein crwyn. Clywais Isaac, capten ein gwn, yn galw'r bont:

'Gwn blaen yn barod!'

Daeth llais y Capten dros y corn siarad o'r bont:

'Pob gwn i lwytho—paratowch am ymosodiad awyrennau o'r chwith.'

Wedi ymbalfalu am sièl gwthiais hi i'r gwn chwith tra bu Gerry yn llwytho'r gwn de. Trodd y gwn yn araf i'r chwith, collais gysgod y gwn a gwlychodd y tonnau ni'n gas. Galwodd Isaac ni'n bob enw am nad oedd gennym sièl arall yn barod yn ein breichiau. Fel y clywsom yr awyren gyntaf daeth y gorchymyn i danio a thaniodd ein gwn gyda chlec aruthrol a fflach. Roedd yn wahanol iawn i'r ymarfer, gan na welwn ac na chlywn ddim wedi'r ergyd. 'Brysia,' gwaeddodd Eic, ond fel y gwthiwn y sièl i'r gwn chwith taniodd y gwn de yn fy wyneb. Bron yn ddall chwiliais am sièl arall gyda'r awyrennau'n chwyrnu uwchben a bwledi'n taro'r dec fel cenllysg. Daeth galwad arall o'r bont.

'Awyrennau o'r tu ôl.'

Taniodd y pedwar gwn mawr oedd yn starn y llong y tro hwn gyda'r pom-pom yn clebran fel cyfeiliant. Taniodd ein gwn ninnau wedi iddynt groesi ac ymosod eto. I'r chwith gwelais awyren yn dod tuag atom gyda chynffon goch tu ôl iddi, a daeth fflach fawr o dân fel y tarodd y môr, ryw ganllath i ffwrdd. Rhoddodd pawb ar ein llong ni floedd fuddugoliaethus. Tawodd y gynnau a sylweddolais fod y llong wedi aros o fewn tafliad carreg i'r *Archangel*. Clywsom sgrechiadau a gweiddi yn dod ohoni a throdd ein llong ac agosáu at ei starn.

Dywedodd y bont ei bod wedi cael bom i lawr ei ffynnel nes ffrwydro'r boileri a'n bod am achub y milwyr.

'Paratowch raffau a ffenders i fynd ar ei phwys hi ar yr ochr dde,' oedd y gorchymyn.

Taflodd Eic raff ar yr *Archangel* a dechreuodd ei llongwyr a'r milwyr dynnu'r gwifrau mawr dur i ddod â'r ddwy long at ei gilydd. Llarpiai'r môr yn greulon rhwng y ddwy long a thorrodd y wifren gyntaf fel edau gyda darn ohoni'n gwibio'n ôl. Wrth lwc, doedd neb ar ffordd y darn neu byddai wedi ei dorri yn ei hanner fel yr â cyllell trwy fenyn. Roedd Eic fel cawr yn trefnu'r cyfan, gan anwybyddu'r swyddog ar y ffocs'l yn llwyr, ac ni fu'n hir yn cael pennau blaen y ddwy at ei gilydd. Er mor fedrus oedd y Capten credaf i brofiad Eic fod yn amhrisiadwy.

Neidiodd y milwyr dianaf o'r *Archangel* i'r *Blankney* nes llenwi pob congl rhwng y deciau ac yna dechreuasom gario'r rhai a glwyfwyd drosodd ar blancedi. Llosgwyd llawer hyd angau. Roedd rhai'n griddfan mewn poen ac eraill yn smocio'n dawel. Llanwyd y llong ag aroglau drewllyd cnawd wedi ei losgi ac roeddem i gyd mewn cyflwr o sioc o weld â'n llygaid ein hunain ganlyniad galanas rhyfel. Prysurai'r meddyg i roi morffia i'r rhai a oedd mewn poen mawr ac euthum i gynorthwyo milwr a oedd yn cael trafferth i symud. Cymerais ef yn fy mreichiau ond llithrodd yn drwm i'r llawr. Gelwais am gymorth ac roedd y meddyg wrth law ond dywedodd na allai wneud dim gan i'r truan gael ei losgi i farwolaeth. Gan fod yr *Archangel* yn dal heb suddo ceisiasom ei thynnu i borthladd Aberdeen ond suddo a wnaeth ger y fynedfa i'r porthladd. Cafodd y Capten y DSC am ei waith, ond dim ond *mentioned in despatches* a gafodd Isaac.

Scapa yw'r lle mwyaf dinad-man y bûm ynddo erioed a glawiodd yn dawel drwy'r amser. Yn y Pentland Firth ac wrth hebrwng confoi tuag at Rwsia y cawsom dywydd mawr am y tro cyntaf. Roedd y mordeithiau hyn yn hunllefus i unrhyw un a ddioddefai o salwch y môr. Dim ond un llongwr fu'n rhaid ei yrru 'nôl i'r barics am ei fod yn gorwedd yn ddiymadferth ar y llawr trwy'r amser. Does ond un ffordd o wella salwch felly— chwilio am y goeden agosaf a mynd i eistedd oddi tani.


## III


Roedd Scapa'n llawn o longau rhyfel mawr a bach, a phan ddaeth y newydd fod y *Bismarc* ar herw cafodd y *Blankney* ei dewis i arwain yr *Hood*—llong fwyaf y llynges—i chwilio amdani. Wrth ymarfer ar y fordaith gwrthododd y gwn blaen danio a gyrrwyd ni'n ôl i Scapa i'r gwn gael ei atgyweirio. Ar ein ffordd yn ôl clywsom fod yr *Hood*, y llong ansuddadwy yn ein tyb ni, wedi ei suddo, a bu distawrwydd trist oherwydd yr ergyd annisgwyl. Pan nad oeddwn ar y gwn roeddwn yn negesydd ar y bont. Buom yn hebrwng llongau masnach ar draws gogledd Cefnfor Iwerydd am rai misoedd. Cychwynnai'r confoi o Londonderry neu Glasgow fel arfer a pharhai'r fordaith ddeng niwrnod. Yn aml byddai'r tywydd yn greulon o ddrwg ond ar y cyfan byddem yn croesawu storm gan y byddai'r tonnau mawr a'r gwyntoedd cryfion yn sicrhau seibiant rhag ymosodiadau'r llongau tanfor. Ychydig iawn o gwsg a gaem a rhennid y dydd fel hyn:

Wyth y bore hyd hanner awr wedi hanner dydd—ar y bont fel negesydd.

Hanner awr wedi hanner dydd hyd bedwar—cinio, golchi'r llestri, glanhau'r *mess* a'r bont.

Pedwar hyd chwech—ar y bont.

Chwech hyd wyth—swper a glanhau'r llong.

Wyth hyd hanner nos—ar y bont.

Hanner nos hyd bedwar—cysgu.

Pedwar hyd wyth—ar y bont.

Dyma'r cynllun ond ychydig iawn o gysgu oedd yn bosibl gan y caem ein galw at y gynnau bob tro y gwelid awyren neu pan dybid bod llong danfor yn y cyffiniau.

Gwaith anodd oedd cadw'r llongau masnach gyda'i gilydd yn y confoi gan y llusgai ambell hen long ar ôl am fod dilyn yn llawer haws na chadw'i lle priodol yn y confoi. Byddai'r *Blankney* yn rhuthro 'nôl a blaen yn crefu ac yn bygwth heb fawr o effaith, ond pan ddeuai awyren fawr Focker-Wolfe Condor i'r fei rhoddai'r llong bwff o fwg a dod i'w lle priodol yn y canol. Peth peryglus oedd dangos mwg ar y môr a llawer gwaith anfonwyd fi fel negesydd i gwyno wrth y Prif Beiriannydd ac i ddweud wrtho am fod yn fwy gofalus. Byddai rhaid i mi sensro'r rhegfeydd o'r ateb cyn ei roi i'r Capten.

Un noson oer iawn gyrrwyd fi i wneud coco i'r Prif Swyddog ac arhosais cyn hwyed ag y beiddiwn yn y gali yn smocio cyn diffodd y sigarét a'i rhoi ym mhoced fy nghôt fawr. Rhoddais ddau gwpan ym mhob poced a dringo'r ysgol yn ôl i'r bont gyda llond jwg o goco poeth yn fy llaw. Roedd tua dau o'r gloch y bore ac yn dywyll fel y fagddu gan na chaniateid unrhyw olau. Tynnais y cwpanau o 'mhoced a thywallt y coco gan roi cwpanaid i'r ddau swyddog, un i'r *Signalman* ac un i minnau. Cymerodd y Prif Swyddog lymaid a phoerodd a bu bron iddo chwydu cyn pwyntio ata i a gweiddi:

'Ewch â fe i'r stafell-lywio ar gyhuddiad.'

Roeddwn i wedi tynnu'r darn sigarét o 'mhoced yng nghwpan y Prif Swyddog a thywallt y coco am ei ben cyn rhoi'r gymysgfa iddo i'w hyfed! Gwaith caled fu ei ddarbwyllo mai damwain oedd y cyfan!

Y *Blankney* oedd un o'r llongau distryw cyntaf i gael radar a rhoddodd y ddyfais newydd bryder a braw i ni y tro cyntaf inni ei defnyddio. Gwyddem bod y *Scharnhorst* yn y cyffiniau ac un bore cyn iddi wawrio galwodd y Radarwr:

'Llong fawr, digon mawr i fod yn llong ymladd, tua deng milltir ar y chwith—yn nesáu.'

Pan ganwyd y gloch aeth pob un at ei wn yn grynedig iawn gan nad oedd gennym siawns yn erbyn gynnau mawr y *Scharnhorst*.

'Waeth i ni neidio i'r môr pan welwn hi'n tanio,' meddai Eic.

Bob hyn a hyn galwai'r Radarwr y môr-filltiroedd a oedd rhyngom—naw, wyth, saith ac yn y blaen. Wrth i'r wawr dorri gwelsom gysgod tywyll mawr yn ymddangos a nesáu. Roedd ein calonnau'n curo yn ein gyddfau pan glywsom y Capten yn gorchymyn y *Signalman* i roi sialens. Torrwyd y tywyllwch gan fflachiadau ein lamp aldis a thybiais fod ein munudau olaf ar ddod, ond nid ergydion y gynnau a ddaeth 'nôl ond neges mai llong fasnach Americanaidd ydoedd.

'Be 'dych chi'n gario a ble'r y'ch chi'n mynd?' holodd ein Capten.

'Mynd â nodwyddau gramoffôn i Liberia,' oedd yr ateb cyn iddi ddiflannu!

Erbyn hyn roeddwn wedi peidio â bod yn negesydd ac wedi cael swydd *Quartermaster* gan mai f'unig orchest fel llongwr oedd fy ngallu i lywio'r llong yn union syth gan adael ôl gwyn cyn sythed â rhych ar y môr pan wrth yr olwyn lywio. Ar un fordaith i'r de aethom ymhell o'n ffordd i chwilio am awyren a oedd ar goll ac oblegid hyn bu'n rhaid i ni alw yn un o ynysoedd yr Azores i gael llwyth o olew. Ponta Delgada oedd y porthladd tramor cyntaf y bûm i ynddo ac roeddwn wrth fy modd o glywed y byddem yno am wyth awr ac y câi hanner y criw ar y tro bedair awr ar y lan. Crwydrais y porthladd yn hapus yn gwylio'r prysurdeb ac yn blasu ffrwythau nas gwelais eu tebyg ym Mhrydain er dechrau'r rhyfel. Yn y tafarnau y treuliodd y rhan fwyaf o'r criw eu hamser a chan fod y gwirod yn rhad iawn ac yn hynod amhur, bu'n rhaid i mi aros ar yr olwyn lywio am chwe awr cyn i un ohonynt sobri digon i gymryd fy lle.

Wedi dychwelyd i Belfast buom yn hebrwng llongau masnach 'nôl a blaen i Aberdaugleddau cyn mynd â chonfoi i Gibraltar. Fel yr oeddem yn mynd i fewn i'r harbwr clywais y Capten yn dweud ein bod yn mynd heibio i'r *City of Bombay* a dywedais mai Owen Morris, cefnder i Mam, oedd ei Chapten. Cyd-ddigwyddiad rhyfedd oedd mai'r *Patchico* oedd y llong nesaf i ni fynd heibio iddi a John Williams, mab brawd Mam, oedd ei Chapten hithau. Gallais anfon neges at John i ddweud ble'r oeddwn a mawr oedd y stŵr ar y *Blankney* pan alwodd i'm gweld. Doedd y swyddog ddim am i mi fynd i'r *Wardroom* ac felly daeth John, yn Gapten, a phedair rhesen aur ar ei lewys, i eistedd i'r ffocs'l i yfed te a sgwrsio. Dyma'r tro olaf i mi weld John oherwydd bu farw o fewn ychydig amser a chladdwyd ef yn Nwyrain Affrica.

Roedd Gerry a finnau yn casáu un Is-swyddog am ei fileindra tuag at ddarpar swyddogion, a'r noswaith cyn i ni hwylio gyda chonfoi am Malta gwelsom ef yn gorwedd yn feddw ar risiau'r *Universal*. Gan ein bod i hwylio ymhen dwy awr doedd dim gobaith y byddai'n ôl ar y llong mewn pryd. Roedd colledion pob confoi i Malta yn drwm iawn, ac meddai Gerry:

'Edrych ar hwn, mi fyddai'n drueni petai hwn yn cael byw am ei fod o mor feddw a'r gweddill o'r criw yn colli eu bywydau. Gafael yn ei draed ac mi gymera inna 'i ben o ac mi awn ag o'n ôl i'r llong.'

Felly y bu hi a dyma ddechrau ei gario trwy'r glaw mân. Bob hyn a hyn gollyngasom o'n swpyn diymadferth ar lawr er mwyn i ni gael smôc, ac o'r diwedd ei ollwng yn fuddugoliaethus yng nghanol *mess* yr is-swyddogion. Doedd dim bwriad caredig yn ein calon ond, er ein syndod, o hynny ymlaen clywem o'n canu'n clodydd yn uchel:

'Dyna chi be 'di cyd-longwyr gwerth yr enw—wedi 'ngweld i'n methu symud ar y lan a dod a fi 'nôl i'r llong yn ddiogel.'

Teimlai Gerry a finnau'n euog bob tro y gwenai arnom!

Y confoi mwyaf helbulus y buom yn ei hebrwng oedd yr olaf i mi ar y *Blankney*. Gadawsom Gibraltar ar y pedwerydd ar ddeg o Ragfyr 1941 i hebrwng tua deugain o longau masnach.

Roedd y tywydd yn braf, y môr yn dawel a phawb yn mwynhau'r fordaith tra hwyliai'r llongau yn araf a difraw. Ar fore'r trydydd diwrnod roeddwn i'n sefyll wrth y gwn blaen yn edrych ar awyren oedd newydd godi oddi ar y llong cario awyrennau *Audacity* yn troi mewn cylch uwchben y confoi. Yn sydyn disgynnodd yr awyren fel cudyll gan saethu bwledi i'r môr ymhell y tu ôl i'r llong olaf.

'Mae hi wedi colli arni,' meddai Eic, ond roedd ein Capten wedi sylweddoli iddi weld llong danfor o dan y dŵr a chawsom orchymyn i lwytho ein gynnau â sièls. Rhuthrasom ni a'r *Stanley*, llong ddistryw arall, i'r fan a gollwng patrwm o *depth charges*. Ar unwaith bron, torrodd y llong danfor *U131* i'r wyneb a dechreuodd pob un o'n gynnau a allai, danio ati gyda'i gilydd. Trawyd hi â'n sièls pedair modfedd gyda sièls bach ein pom-pom yn neidio'n goch oddi ar ei phont. Disgynnodd yr awyren gan danio ati i gynorthwyo, ond saethwyd hi i'r môr ar ei hunion gan yr *U131*. Doedd dim gobaith iddi, er hynny, yn erbyn dwy long ddistryw, a daeth ei chriw ar ei dec gyda'u dwylo yn yr awyr cyn neidio i'r môr.

Galwodd ein Capten am gwch er mwyn ceisio anfon rhai o'n criw ni i achub rhai o griw'r *U131* ond cyn i'r cwch gyrraedd, wrth lwc, ffrwydrodd o'i bow i'w starn a suddo o'n golwg. Taflwyd rhwydau i lawr ochr ein llong ni i gynorthwyo'r Almaen-wyr i ddringo o'r môr i ddiogelwch. Munudau poenus oedd y munudau tra oeddem wedi aros i godi'r Almaenwyr, gan na fyddai llong danfor arall yn petruso cyn anfon torpido atom pe gallai. Amcangyfrifwyd wedyn bod oddeutu ugain o longau tanfor Almaenig yn hela'r confoi a buom wrth y gynnau ddydd a nos. Daeth yr asdig i gysylltiad ag un arall, ond er i ni a'n chwaer-long *Exmoor* ymosod yn ddygn a ffyrnig â *depth charges*, ni ddaeth dim i'r wyneb y tro hwn ond olew. Hawliodd ein Capten i ni ddistrywio un arall, ond hen dric gan longau tanfor pan ymosodid arnynt oedd gollwng olew a broc môr i'r wyneb er mwyn perswadio'r llongau distryw iddynt lwyddo.

Yr ymosodiadau yn ystod y nos oedd waethaf gan fod rhaid gollwng *depth charges* bob tro y clywid eco ar yr asdig. Pan wyddem fod llongau masnach wedi eu suddo a rhai o'r criw efallai yn dal yn fyw yn y môr, roedd penderfynu gollwng *depth charges* i arbed suddo llongau eraill yn benderfyniad creulon.

Fore trannoeth gyrrwyd y *Blankney* i chwilio am achos golau annisgwyl ar y gorwel ac ar ein ffordd 'nôl i ailymuno â'r confoi ar lasiad y dydd, buom yn ddigon ffodus i weld perisgop llong danfor arall a oedd yn canlyn y confoi o hirbell. Pan welodd ni o'r diwedd ceisiodd ddianc dan y môr, ond wedi i ni ollwng patrwm o *depth charges* uwchben y fan y diflannodd daeth i'r wyneb ar ei hunion, ond yn anffodus i ni roedd mor agos fel na allem danio'n gynnau ati. Yr *U434* oedd hi a hi daniodd gyntaf gyda'i gwn 4.7 modfedd, ond wrth lwc aeth y sièl rhwng ein mast a'r bont gan losgi wyneb gwas ein meddyg ond heb achosi unrhyw ddifrod arall. Roeddwn i ar yr olwyn lywio ar y pryd ond galwodd y Capten ar i'r cocs'n gymryd yr olwyn ac anelu'r llong am yr *U434*. Pan sylweddolodd yr Almaenwyr ein bod am ei ramio, neidiasant i'r môr cyn i ni ei tharo. Yn anffodus iawn neidiodd rhai tuag atom yn lle'r ochr draw i'w llong a lladdwyd nhw pan daflwyd y ddwy long at ei gilydd wedi'r gwrthdaro. Codasom y gweddill o'r môr a suddodd yr *U434*, ond gan fod ein bow wedi ei dyllu bu rhaid i ni droi 'nôl am Gibraltar er mwyn mynd i'r doc.

Daeth un o'r llongwyr a dynnais o'r môr â nodyn i mi mewn Almaeneg yn diolch am gael ei achub, gyda'i enw Rudolf Rotto a'i gyfeiriad ar y nodyn. Cedwais ef yn ofalus rhag ofn y byddai o gymorth pe cawn fy hun yn nwylo'r Almaenwyr, ond yn anffodus collais fy waled yn nhref Caernarfon gyda'r nodyn ynddi. Wedi i ni gyrraedd Gibraltar clywsom y newydd trist i'r *Audacity* a'r *Stanley* yn ogystal â llongau masnach gael eu suddo gan y llongau tanfor. Bu tair cenhedlaeth o'r teulu felly yn ymrafael â llongau tanfor Almaenig, er nad oeddwn i ond llongwr cyffredin ac nid yn gapten!

Nadolig diflas iawn oedd Nadolig 1941 gyda'r Cadfridog Ffranco yn ceisio penderfynu a oedd am ymuno yn y rhyfel ar ochr yr Almaen. Bob tro yr hysbysid ei fod i roi araith gyhoeddus byddai'r llongau yn gadael yr harbwr rhag ofn ymosodiad sydyn. Cefais un noson bleserus iawn, fodd bynnag, gan i mi ddod ar draws fy hen gyfaill Ronald, Borthwen, Borth-y-gest, mewn stryd gefn yng nghanol y dre. Wyddai'r un ohonom fod y llall wedi gadael Prydain, ond dim ond y noson honno a gawsom gyda'n gilydd cyn iddo hwylio am Malta.

Dywedodd y Capten fod Gerry a finnau i fynd am gyfweliad gyda'r Llyngesydd i'r *Cormorant*, hen long bren debyg i long Nelson, a oedd yn dal i gael ei defnyddio fel barics. Roeddwn yn edrych ymlaen at fynd adref, ond gan na fwriadwn dderbyn comisiwn doeddwn i ddim yn poeni llawer ynglŷn â'r canlyniad. Pan ofynnodd y Llyngesydd:

'Be 'dych chi'n feddwl o Gibraltar, ŵr ifanc?' aeth pob math o ateb fel 'craig yr ymerodraeth' trwy 'meddwl cyn i mi ddweud:

'Twll o le, Syr.'

Er fy syndod trawodd ei lin a chytuno.

'Ie wir, twll o le ydy o hefyd!'

Mae'n debyg ei fod yntau yn dyheu am gael mynd adref.

Aethom trwy'r cyfweliad yn llwyddiannus, ac o fewn ychydig ddyddiau cawsom le ar y llong-ddistryw *Hesperus* i fwynhau mordaith ddihelynt adref.

## IV

Daeth y gwyliau hapus gartref i ben a bu'n rhaid i mi fynd am gyfweliad arall o flaen Bwrdd y Morlys i benderfynu a oedden nhw am fy anfon ar gwrs i ddysgu bod yn swyddog. Er y tybiwn na allwn fforddio derbyn comisiwn roeddwn am ohirio'r dydd y byddai'n rhaid i mi ailymuno â'r *Blankney*, ond roedd yr holl aur ar lewys aelodau'r Bwrdd yn ddigon i ddychryn unrhyw un. Dechreuodd un trwy holi fy enw, ac yna:

'Pa ysgol y buoch chi ynddi, Jones?'

'Ysgol Sir Porthmadog, Syr.'

Dangosodd wrth ei edrychiad nad oedd erioed wedi clywed am y fath ysgol ac aeth ymlaen i holi.

'Allwch chi siarad unrhyw iaith dramor?'

'Gallaf, Syr,' atebais. 'Saesneg ac ychydig o Ffrangeg.'

'Saesneg!' cyfarthodd. 'Be ar y ddaear ydych chi ynteu?'

'Cymro, Syr,' meddwn innau.

Rhaid bod un o aelodau'r Bwrdd wedi ailadrodd hyn wrth rywun arall, achos ymhen rhyw dair blynedd wedyn pan oeddwn i'n eistedd i ginio yn y barics trodd Comander ataf a gofyn ai Cymro oeddwn i. 'Ie,' meddwn wrtho.

'Glywsoch chi be ddwedodd Cymro wrth Fwrdd y Morlys yn Hove pan ofynson nhw iddo a oedd o'n siarad iaith dramor?— Dweud ei fod o'n siarad Saesneg!'

'Mae'n wir, Syr,' meddwn wrtho, 'fi oedd y Cymro hwnnw.'

Llwyddais yn y cyfweliad, fodd bynnag, a darbwyllodd swyddog caredig fi nad oedd angen arian preifat i fod yn swyddog adeg rhyfel a dweud y gallwn fyw yn iawn ar y cyflog. Ar yr ail o Fawrth 1942, felly, anfonwyd fi i Goleg Lancing i ddechrau'r cwrs. Ysgol fonedd o fri yw Lancing ond yn ystod y rhyfel cymerwyd yr adeilad, ac adeilad ysgol merched Roedean, gan y Llynges. Yn ôl 'llên y Llynges' roedd botwm cloch ym mhob ystafell wely yn Roedean gyda'r hysbysiad oddi tani, 'Os bydd arnoch eisiau meistres yn ystod y nos, cenwch y gloch.' Dywedir i'r clychau ganu'n ddi-stop hyd nes eu datgysylltu!

O Lancing aethom i *King Alfred*, y gwersyll haf a adeiladwyd ar gyfer ymwelwyr i Brighton ac yno dysgasom ein crefft yn drwyadl. Ar y chweched o Fai 1942 ysgydwodd Capten Pelly fy llaw, dymuno'n dda i mi a rhoi i mi gomisiwn fel Is-lifftenant yn y Llynges. Cefais wythnos o wyliau i fynd i Lundain i nôl dillad swyddog gan gwmni Bernard Wetherall, y teiliwr a ddaeth yn Siaradwr Tŷ'r Cyffredin. O Hove anfonwyd fi i Goleg Brenhinol y Llynges yn Greenwich, yr ysgol a adwaenid fel ysgol-gyllell-a-fforc y Llynges oherwydd y pwysigrwydd a roddid ar wisg a moes yno, er bod y rhyfel ar y môr ar ei waethaf. Roedd y bwyd yno yn arbennig o dda a bwytaem yn y neuadd enwog a addurnwyd gan Syr Thomas Thornhill tua 1720. Ar adeg cinio nos ffurfiol byddai'r byrddau wedi eu goleuo â chanhwyllau, ac wedi gorffen bwyta byddai'r Capten yn cynnig llwncdestun 'Y Brenin'. Yfir y llwncdestun hwn gan swyddogion y Llynges ar eu heistedd am i Siôr y Pedwerydd daro'i ben wrth iddo godi mewn llong. Ei ail lwncdestun fyddai 'Gwragedd a chariadon' ac atebid y llwncdestun hwn gan y Comander gyda 'Bendith Duw arnyn nhw ac na foed iddyn nhw byth gyfarfod!'

Un wers ddiddorol iawn, er na fu o fawr fudd i mi wedyn, oedd dysgu troi llong-un-propelor yn yr afon gyfyng ger Greenwich. Y gyfrinach yw gwybod bod bow y llong yn symud i'r dde cyn iddi symud ymlaen pan roir y gorchymyn, 'Ymlaen yn araf', a'r un modd pan roir y gorchymyn ''Nôl yn araf'. Wedi dysgu amseru'r gorchmynion yn gywir gellid troi'r llong yn ei hyd ei hun, ond byddai ambell i ddysgwr anffodus yn rhoi bow y llong yn sownd yn y mwd ar y lan.

Gadewais Greenwich i dreulio ychydig amser yn y barics yn Portsmouth ar fy ffordd i Ynys Hayling i ddysgu trin cychod glanio (LCA). Roedd fy mrawd yn y barics ar yr un pryd gan ei fod yntau i fynd am gyfweliad ar gyfer derbyn comisiwn. Gan fod Ivorian ddeng mlynedd yn hŷn na mi roeddwn wedi ei drafod bob amser â'r parch a'r edmygedd a oedd yn weddus oddi wrth frawd bach. Profiad rhyfedd felly oedd clywed yr Is-swyddog a ddaeth ag ef ataf yn dweud:

'Mae'r llongwr yma'n honni ei fod yn eich adnabod, Syr!'

Ymhen ychydig amser roedd fy mrawd hefyd yn Is-lifftenant, ond ni welsom ein gilydd wedyn hyd ddiwedd y rhyfel. Gwnaed ef yn gapten ar LCT a gyrrwyd ef i'r Môr Canoldir i ymuno yn yr ymosodiadau ar Sicily, Salerno, Pontellaria ac Anzio (lle cafodd *mention in despatches*).

Cwrs i'n paratoi i ymuno â chorfflu newydd a adwaenid fel *Beach Commandos* oedd y cwrs ar Ynys Hayling. Dysgwyd ni i drafod deuddeg o gychod glanio a'u harwain yn llinell syth i lanio ar yr un foment ar y traeth. Wedi'r cwrs gyrrwyd ni i Roseneath ger Greenock i ymarfer ymhellach ac i ddysgu sut i amddiffyn y traeth ar ôl i ni lanio. Dysgais y ffyrdd cyflymaf a mwyaf distaw i ladd dyn, megis ei daro yn galed yn ei wddf â llaw agored, ac mai syniad da, pan yn ymladd heb arfau, oedd poeri i lygaid y gelyn a rhoi cic i'w grimog cyn ymosod arno. Buom yn ymarfer am wythnosau gyda milwyr yn paratoi am y glanio mawr yn Ewrob. Roedd y gwaith yn undonog a'r tywydd yn ddiflas a dechreuais chwilio am ffordd o gael fy ngyrru'n ôl i'r môr. Pan welais hysbysiad yn gofyn am enwau swyddogion a hoffai ddysgu bod yn Swyddog Gynnau rhoddais fy enw i lawr.

Yn yr ysgol ynnau enwog Whale Island yn Portsmouth bûm yn lletya ar y Bleserlong Frenhinol *Victoria and Albert*, llong foethus 4,700 tunnell a adeiladwyd ym 1899. Bu'r stiward a edrychai ar f'ôl yn was bach i'r Tywysogesau Elizabeth a Margaret Rose tra oedden nhw ar y llong, a hawliai'n falch mai ef a lanhâi eu hesgidiau. Roedd yn meddwl y byd o'r Teulu

Brenhinol a chlywais lawer stori ddiddorol ganddo a'r mwyafrif yn tanlinellu'r ffaith mai'r Frenhines oedd yn gwisgo'r trywsus yn y teulu. Fel Jeeves cynghorai fi ym mhopeth, gan roi ambell i gerydd yn ogystal fel, 'Awn ni ddim i'r lan yn y goler yna—na wnawn ni, Syr!'

Ar ddiwedd y cwrs caled clywsom i'r dosbarth i gyd lwyddo ac wedi dymuno yn dda i mi dywedwyd fy mod bellach yn Lifftenant Gynnau. Gofynnais i'r Capten gadarnhau hynny gan nad oeddwn yn un ar hugain mlwydd oed.

'Mae rhywun wedi gwneud camgymeriad,' meddai'r Capten, 'ddylai neb o'r oed yna gael bod ar y cwrs.'

Ymhen amser, fodd bynnag, daeth y newydd da y derbyniwn gyflog a gradd Lifftenant, ac felly, drwy gamgymeriad yn unig, roeddwn yn un o'r rhai ieuengaf—os nad yr ieuengaf oll—o Lifftenantiaid y Llynges.

Fy mhenodiad cyntaf fel Swyddog Gynnau oedd i wersyll newydd a elwid yn Seaserpent yn West Wittening ger Chichester, gyda'r swyddogion yn byw yn y Bracklesham Bay Hotel a oedd yn wag oherwydd y rhyfel. Yno y deuthum ar draws y *Wrens* am y tro cyntaf a chefais egwyl hyfryd o'r rhyfel yn caru gyda'r *Wrens*. Fy ngwaith oedd dysgu llongwyr a oedd newydd ymuno â'r Llynges i fartsio a saethu, ond un noson gorchmynnwyd ni i osod llongwr bob rhyw hanner canllath ar hyd y traeth gan y disgwylid i'r Almaenwyr lanio. Wedi sicrhau bod pob llongwr yn ei le yn y tywyllwch roeddwn yn cerdded yn ôl i'r gwesty pan safodd swyddog o'r *Home Guard* o'm blaen a dweud, *'I say, you will let a few through for us, won't you?'* Credaf na allai Capten Mainwaring ei hunan ddweud yn amgenach, ond druan ohonom petai brigâd *panzer* wedi glanio!

Un diwrnod, pan oeddwn yn Swyddog y Dydd, daeth Is-swyddog o'r *Wrens* ag un ohonynt o'm blaen i gael ei chosbi. Y cyhuddiad yn ei herbyn oedd: 'Fod *Wren* Gilson wedi ei gweld yn cerdded y stryd yn Chichester wedi ei gwisgo yn annheilwng o *Wren* gan fod *sea boots* am ei thraed.' Pan oeddwn mewn cyfyng-gyngor beth i'w wneud ynglŷn â'r fath drosedd, cofiais am fy strach ynglŷn â'r rwm, a dyfarnais, 'Rhybudd'.

Rhaid oedd gweld y meddyg o dro i dro ac mae'n debyg i mi fod yn orfrwdfrydig gyda'r *Assault Course* a baratois gan iddo ddweud i mi golli pwysau yn ormodol. Anfonodd fi i ysbyty

Haslar yn Portsmouth i wneud yn siŵr nad oedd dim byd mawr o'i le arnaf. Ni allai'r meddygon yno gytuno, fodd bynnag, a oedd murmur i'w glywed yn fy nghalon ai peidio a chadwasant fi yn yr ysbyty i aros ymweliad y Llyngesydd a oedd yn arbenigwr ar y galon. Gwelais ef yn dod fel comet o bell â thorf o ddilynwyr yn gynffon iddo, ac arhosodd wrth fy ngwely. Gyda'r acen Gymreicaf a glywais holodd be oedd o'i le arnaf ac wedi gwrando ar guriad fy nghalon a chlywed mai o Borth-y-gest roeddwn yn dod fe drodd i'r Gymraeg. Syr Alun Rowlands o Fangor oedd y meddyg. Roedd wedi ymuno â'r Llynges fel Llyngesydd a dim ond un meddyg arall oedd â gradd cyn uched ag ef! Wedi sgwrsio am Fangor dywedodd nad oedd dim o'i le arna i na fyddai pythefnos ym Morth-y-gest yn ei wella a rhoddodd bapur doctor i mi yn caniatáu pythefnos o wyliau.

Tra bûm gartref penodwyd fi'n Swyddog Gynnau i'r Llyngesydd Warren yn y Clyde, lle'r oeddwn i ddarparu gynnau i'r llongau a oedd i fynd i ymosod yn y Môr Canoldir. Ychydig iawn a welais o'r Llyngesydd ond roedd ei Gapten yn ŵr anodd iawn ei blesio. Pe gwelai fi yn y bore gofynnai:

'Be sy'n digwydd heddiw?'

'Darparu gynnau i'r *Orontes*, Syr.'

'Fi ydy'r Capten yma, yntê?'

'Ie, Syr.'

''Dych chi ddim yn meddwl y dylwn i gael gwybod be sy'n digwydd yma? Chymerai hi fawr o amser i chi guro 'nrws a dweud hynny!'

'Mae'n ddrwg iawn gen i, Syr.'

Fore trannoeth, curwn wrth ei ddrws a dweud:

'Bore da, Syr, rwy'n llwytho y *Reina del Pacifico* heddiw.'

'Be sy o'i le felly?'

'Dim ond meddwl yr hoffech chi wybod, Syr.'

'Rhaid i chi, swyddogion ifainc, gymryd tipyn o gyfrifoldeb a pheidio â rhedeg ata i fel hyn. Fel Capten mae gen i lawer ar fy meddwl heb i chi fy mlino am ddim byd!'

Roeddwn yn dyheu am gael mynd 'nôl i'r môr ac wedi taer erfyn cefais fy mhenodi'n Swyddog Gynnau i Q57 Sgwadron *Landing Craft Tanks*. Roedd yn arferiad yn y Llynges i swyddog, pan yn gadael llong neu wersyll, gael tysteb, ac er mawr syndod i mi cefais y dysteb orau a gefais erioed gan y

Capten. Roedd tri dwsin o longau yn Q Sgwadron a'm dylet-swydd i oedd sicrhau bod pob gwn yn gweithio'n effeithiol a bod criw wedi eu hyfforddi yn drylwyr i bob gwn. Roeddwn yn hapus iawn yn y swydd a chan mai dau swyddog yn unig oedd ar bob llong cawn groeso cynnes ar bob un yr hwyliwn arni. Tra byddwn i ar y llong cadwn wyliadwriaeth yn fy nhro ac felly, yn lle gorfod bod ar y bont bob yn ail bedair awr, câi'r ddau swyddog wyth awr yn rhydd o'r bont. Roedd pris potel o wisgi yn llai na phedwar deg ceiniog a phob Capten am fy narbwyllo bod angen mwy o hyfforddi ar ei griw ef. Ym Moryd Forth yr oeddem yn ymarfer ar y cychwyn ond fel yr agosâi dydd yr ymosodiad ar Ffrainc gyrrwyd y Sgwadron i Aberdaugleddau. Tra yno bûm yn byw yng Nghastell Lawrenni ac er bod y perchennog yn y lluoedd arfog roedd rhai o'i deulu yn byw mewn ystafelloedd ar wahân i'r llu o forwyr. Euthum yn ddiweddar i weld yr hen gastell i geisio olrhain ychydig o'i hanes ond er mawr syndod i mi doedd yno ddim golwg o'r castell yn unman. Rhyfeddais iddynt gael caniatâd i'w ddymchwel. Ar fore Sul, fy nyletswydd oedd darllen llith yn yr eglwys leol ac oddi wrth y wên ddistaw ar wynebau fy nghyd-swyddogion y sylweddolais nad yr un ffordd â nhw roeddwn i'n ynganu Gethsemane a Chapernaum!

Daeth yr egwyl hyfryd yno i ben a hwyliasom o Aberdaugleddau i lwytho'r llongau â milwyr a thanciau Americanaidd. Doedd y tywydd ddim yn ffafriol a bu'n rhaid i'r milwyr aros ar y llong am ddiwrnod ychwanegol cyn hwylio am draeth Omaha yn Normandi. Golygfa fythgofiadwy oedd y llu o longau yn orlawn o filwyr a thanciau yn cael eu hebrwng drosodd gan y llongau mawr. Roedd cymaint o awyrennau'n hedfan dros ein pennau nes tywyllu'r awyr o bryd i'w gilydd ac fel yr oeddem yn agosáu at y traeth gwelsom bum llong ryfel fawreddog yn tanio eu gynnau mawrion dros ein pennau tua'r lan. Y *Warspite* a'r *Texas* oedd y ddwy agosaf a rhuai eu sièls drosodd fel trenau cyflym.

Ar draeth Omaha y bu peth o frwydro ffyrnicaf y rhyfel gan fod yr Almaenwyr yn digwydd bod allan yn ymarfer y noson honno. Roeddynt wedi llenwi'r traeth â rhwystrau haearn a phren o bob math a'r rheini wedi eu gyrru'n ddwfn i'r tywod a'u cysylltu â digonedd o weiren bigog. Gosodwyd meiniau *Teller* wrth y rhwystrau i wneud yn siŵr y difethid pob cwch glanio a gyffyrddai â nhw. Gallai gynnau'r pilbocsys a osodwyd uwchben y traeth danio i bob cyfeiriad ac roedd twneli'n arwain o'r naill i'r llall. Er hyn roedd yr Americanwyr wedi llwyddo i lanio ond dim ond dal eu gafael ar y traeth drwy grwyn eu dannedd a wnaethant tra trodd yr Almaenwyr y feisdon yn uffern. Doedd hi ddim yn bosibl i ni lanio'n tanciau a'n gynnau hyd yn gynnar ar fore'r seithfed o Fehefin, ac erbyn hynny roedd y milwyr yn wlyb, yn oer ac yn dioddef o salwch y môr.

Roeddwn i ar *LCT 1035* ar fore'r glanio ac er i ni lanio'n rhwydd ar y traeth a elwid 'cadno coch', cawsom drafferth i ollwng y drws i lawr ar dywod clir oherwydd bod y lan wedi ei gorchuddio â darnau o gychod glanio wedi eu malu, gweddillion arfau a darnau o rwystrau a thanciau. Yn anffodus, rhedai traethell o dywod ar draws y fan ac er i ni ei chroesi wrth lanio roedd y llanw yn treio mor gyflym nes i ni ac *LCT 690* fethu gadael y traeth ar ôl dadlwytho. Glynodd y ddwy long yn y tywod ac yno y buom trwy'r dydd nes i lanw'r nos ddod i'n rhyddhau. Golygfa ryfedd oedd y ddwy long yng nghanol yr holl alanas gyda'u baneri gwynion yn chwifio yn y gwynt a gynnau 88m yr Almaenwyr yn dal i danio ar y traeth o bryd i'w gilydd. Gan mai'r llongau oedd yr unig loches ar y traeth cariwyd milwyr clwyfedig iddynt drwy'r dydd a'u gosod yn rhesi lle bu'r tanciau a'r gynnau. Er i lawer o sièls ffrwydro o'n hamgylch, drwy wyrth ni thrawyd y llongau. Gwelais ddynion a thanciau a oedd yn cael eu dadlwytho yn cael eu taro o fewn tafliad carreg i ni, ond ni allem ni wneud dim i gynorthwyo'r milwyr gan i'r gelyn gilio allan o gyrraedd ein gynnau ni. Cawsom fenthyg 'jac codi baw' gan yr Americanwyr i gario'n hangor allan yn ddigon pell i sicrhau y tynnid ni o'r traeth fel y codai'r llanw. Wrth gerdded y traeth i ddangos lle i ollwng yr angor ffrwydrodd tanc ar fein yn ddigon agos i daflu cawod o dywod a mwd drosof. Gadawsom y traeth gyda'r llanw heb farc ar y llong ac aethom â'r milwyr a glwyfwyd i long ysbyty cyn dychwelyd i Portland.

Ym 1984, ar y ffordd adref o wyliau yn Llydaw gyda chyfeillion, euthum i'r traeth i weld y man lle bu'r glanio. Edrychai'r lle yn wahanol iawn yn yr heulwen y diwrnod hwnnw ac roedd cofeb i'r glanio wedi ei chodi gyferbyn â'r union fan y glaniasom. Synnais weld bod y draethell dywod yn aros hefyd yn yr un man. Aethom o'r traeth i'r fynwent gerllaw lle mae cyrff 9,386 o Americanwyr yn gorwedd. Er i weddillion 14,000 eraill gael eu cludo adref i America mae'r fynwent hardd yn gorchuddio 172 erw o dir Ffrainc. Marmor gwyn o'r Eidal yw'r cerrig gydag enw milwr ar bob carreg. Trist iawn oedd gweld tad a mab yn gorwedd gyda'i gilydd a mwy nag unwaith gwelais feddau dau frawd hefyd. Mae capel bach wedi ei godi ar y safle ac euthum yno i gofio a thristáu.

Dim ond unwaith wedyn y croesais i Ffrainc cyn i'r awdurdodau benderfynu nad oedd angen Swyddog Gynnau ar y Sgwadron gan fod cyn lleied o wrthwynebiad. Rhoddwyd cwch cyflym i mi ymweld â'r llongau glanio fel yr agosaent at Portland i'w holi ynglŷn â'u hanghenion er mwyn sicrhau y byddai popeth ar gael iddynt allu ail-lwytho'n ddi-oed. Un o'r llongau cyntaf yr ymwelais â hi oedd llong Gerry Telford a chawsom hoe fach hyfryd yn sgwrsio am ein dyddiau ar y *Blankney*. Lletywyd fi yn Borstal, Portland, ac roedd rhan o'r gwersyll yn garchar bechgyn o hyd. Fel roeddwn yn 'molchi un bore daeth llaw drwy'r ffenest agored a diflannodd y wats a gefais gan fy mrawd ar fy mhen blwydd yn un ar hugain oed ac er i mi greu digon o stŵr chefais i mohoni'n ôl.

Derbyniais lythyr yn dweud fod fy nghyfnither, Gwenda, yn gweithio yn y cyffiniau fel nyrs yn yr ysbyty ac euthum yno i'w gweld. Wedi sgwrsio'n hapus am hen gyfeillion, addewais ei ffonio drannoeth i drefnu i ni gael cinio gyda'n gilydd ond pan alwais hi ar y ffôn dywedodd na allai ddod gan iddi gael ei chaethiwo i'r ysbyty yn gosb am iddi gadw cwmni gyda llongwr yn ystod ei horiau gwaith.

'Pam na ddwedsoch chi mai perthynas i chi oeddwn i?' 'Mi wnes i,' atebodd Gwenda, 'ond doedden nhw ddim yn fy nghoelio i!'

Roedd bywyd yn llai prysur wedi'r ymosodiad ar Ffrainc ac un noson cynhaliwyd dawns yn y *mess*. Er nad oedd gen i fawr o syniad sut i ddawnsio penderfynais roi cynnig arni a gofynnais i un o'r *Wrens* am ddawns. Pan faglais ar draws ei thraed ymddiheurodd y ferch. 'Peidiwch â phoeni,' meddwn yn gellweirus, 'rhaid i ni i gyd ddysgu!' Wyddwn i ddim nes i gyfaill ddweud wrthyf ar ôl y ddawns 'mod i wedi gofyn i ferch yr Arglwydd Mountbatten.

Pan ddaeth y rhyfel yn Ewrob i ben cefais fy ngyrru i ymuno â sgwadron o longau rocedi a llongau gynnau yn India. Fy ngwaith fel *Forward Observation Officer* oedd glanio gyda'r milwyr a chyfeirio sièls a rocedi'r sgwadron at y gelyn drwy gyfrwng set radio fechan roeddwn i'w chario ar fy nghefn. Cefais fordaith hapus i Bombay lle bûm yn aros yng ngwesty moethus y Taj Mahal, ond bydd tlodi a drewdod Bombay yn fyw yn fy nghof am byth. Roedd y llu cardotwyr, rhai heb freichiau a rhai heb goesau, yn peri hunllef i mi a theimlaf gywilydd o'n safon byw yn y Gorllewin hyd heddiw pan gofiaf y tlodi eithafol. Daeth y newydd fod y sgwadron wedi cyrraedd de India a chroesais India mewn trên i Madras i ddal trên arall i Mandapan yn y de. Yno ymunais â'r sgwadron cyn iddi hwylio i ymosod ar Malaya. Pan ddaeth y newydd fod America wedi gollwng y bom atomig ar Japan roedd fy nheimladau'n gymysg iawn. Rwy'n dal i deimlo ei bod yn weithred erchyll ac y dylid bod wedi argyhoeddi'r Japaneaid mewn rhyw ffordd arall, ond mae'n debyg na fyddai llawer o siawns y byddwn yn fyw heddiw pe na buasent wedi dyfeisio'r bom.

Er bod y bom wedi ei gollwng ar Japan roedd rhaid bwrw ymlaen â'r cynllun i ymosod ar Malaya gan nad oedd dim sicrwydd yr ildiai'r arweinwyr lleol, ac ar y degfed o Fedi hwyliodd y llynges ymosod i lanio ger Port Dickson. Roedd yn arferiad i'r Swyddog Gynnau wisgo pistol wrth ei glun tra byddai'r criw yn ymarfer â'r gynnau ac wedi i'r llongwyr orffen arfer â'r gwn *Oerlikon* dywedais wrthynt am daflu'r sièls gwag i'r môr. Taflodd un llongwr sièl yn uchel i'r awyr, ac er mwyn ei lanhau yn fwy na dim, tynnais fy mhistol o'i wregys ac anelu at y sièl fel yr âi ar ei hynt drwy'r awyr. Trewais hi nes roedd hi'n tincian, a chan gadw wyneb hollol ddifrifol rhoddais y pistol yn ei ôl a dweud wrth fy nghyd-swyddogion ar y bont, 'Dylech chithau ymarfer mwy â phistol.'

Cefais barch mawr am fy saethu a chyfaddefais i ddim y cymerai gan mlynedd cyn i'r fath ddamwain ffodus ddigwydd drachefn.

Cyn i ni ymosod clywsom fod y Japaneaid wedi cilio o'r traeth ac wedi ildio, ac unwaith eto anfonwyd fi o'r sgwadron i fynd i farics Singapore fel Prif-lifftenant nes i Lifftenant Comander gyrraedd i gymryd y swydd. Cawsom groeso bythgofiadwy gan y trigolion, a chan nad oedd arian lleol ar gael doedd dim amdani ond torri'r gyfraith a mynd i'r dref gyda thùn hanner cant o sigaréts yn fy mhoced a chael hwyl ryfeddol â'r cynnwys. Gellid bwyta'n fras yn y Great World, New World neu'r Happy World am bum sigarét a gellid llogi un o'r merched tlws oedd ynddynt am yr awr fel partner dawnsio am bump arall. Llogais ferch o'r enw Mary Li i geisio dysgu dawnsio a mynnodd i mi fynd adref gyda hi i'w fflat. Roedd ganddi ddwy stafell hardd yng nghanol y dre ac roedd yn amlwg nad oedd hi wedi bod yn fyr o ddim tra bu'r wlad dan lywodraeth Japan. Wedi i ni yfed coffi gofynnodd a hoffwn i ddod i fyw gyda hi yn ei fflat am bedwar can doler y mis, y pris i gynnwys bwyd a golchi fy nillad. Daeth ag albwm-lluniau allan a dangos ei llun gyda gwahanol swyddogion milwrol Prydeinig a fu'n byw gyda hi cyn i Singapore syrthio ac roedd rhai wedi eu harwyddo gyda thystiolaeth o gariad. Wnaeth hi ddim dangos lluniau'r Japaneaid i mi! Waeth i mi gydnabod nad fy nghydwybod a wnaeth i mi wrthod yn gwrtais, ond ofn dolur rhywiol, gan fod siffilis yn rhemp yno.

Roedd cinio Nadolig yn y barics yn achlysur ardderchog a minnau'n eistedd nesaf at Esgob Colombo a oedd yn ymfalchïo ei fod yn gallu ymweld â'r darn hwnnw o'i esgobaeth unwaith yn rhagor. Welais i erioed y fath bwdin Nadolig enfawr, a hwnnw'n fflamio'n ogoneddus fel y câi ei gario i mewn gan bedwar Tseinead. Heblaw'r llongwyr roedd wyth gant o garcharorion i drefnu gwaith iddyn nhw bob dydd. O'r diwedd daeth dydd fy *de-mob* a dychwelais fel teithiwr moethus ar y *Georgic* i Lerpwl. Gadewais y Llynges ar y seithfed o Fai 1946 am wyliau cyn dychwelyd i Lundain i weithio.

V

Wedi gwyliau gartref dychwelais i weithio i bencadlys Banc y Swyddfa Post yn West Kensington ac roedd y lle yn garchar i mi. Fy unig gysur oedd mai yno y cwrddais â Mary, fy ngwraig. Saesnes yw Mary, gyda'i thad a'i thaid wedi eu magu yn strydoedd cefn Kensington High St., ond mae'n anodd credu heddiw y gallai ei nain fynd i un o dair fferm i nôl llefrith, sef Fferm Earls Court, Fferm Shepherds Bush neu Fferm Portobello! Yn rhyfedd iawn mae gen i lun o Mary yn yr Ysgol Gynradd ar *Empire Day* mewn gwisg Gymreig.

Roeddwn yn aelod o gapel Seion, Hammersmith, lle'r oedd y Parchedig W. T. Phillips yn weinidog, a chefais groeso cynnes yno gan yr aelodau. Roedd côr, cymdeithas lenyddol a chymdeithas ddrama yn perthyn i'r capel bach hwn sydd bellach yn fosg i'r Moslemiaid, a heb ymffrostio rwy'n falch o gofnodi mai fi a ddewiswyd gan y gymdeithas ddrama yn Eisteddfod Genedlaethol Frenhinol Cymru yn Llanrwst i wneud sŵn ceiliog tu ôl i'r llwyfan wedi i Pedr wadu Crist yn y ddrama *Y Chweched Awr!*

Âi Mary a finnau i ddosbarthiadau nos Adran Allanol Prifysgol Llundain i astudio'r Beibl. Roeddem ni'n mynd i'r dosbarthiadau er mwyn budd a phleser, ond roedd y mwyafrif yn mynd yno i ennill tystysgrif a roddai hawl iddynt fod yn bregethwyr lleyg gyda'r Bedyddwyr neu'n arweinwyr ym Myddin yr Iachawdwriaeth. Tra oeddem ni'n fodlon trafod pwnc y cyfan roedd arnyn nhw'i eisiau oedd nodiadau cynhwysfawr i'w cynorthwyo i sefyll arholiad. Un noson cododd aelod o'r dosbarth a gadael yr ystafell gan chwythu bygythion a chelanedd wrth glepian y drws ar ei ôl, am fod yr athro wedi awgrymu nad Ioan yr Apostol oedd awdur Efengyl Ioan.

Yn yr un adeilad o dan nawdd y Brifysgol y dysgais sut i gadw gwenyn. Wn i ddim pam y dewisais ddysgu am gadw gwenyn pan oeddwn i'n byw yng nghanol Llundain os nad oedd arna i hiraeth am glywed sŵn y gwenyn ar y grug. Chedwais i erioed wenyn ond mae gen i stôr ddiddorol o wybodaeth amdanyn nhw. Faint sy'n gwybod fod mêl mewn cwch gwenyn yn eplesu ar ddamwain ambell dro ac yn troi'n fath o fedd? Pan ddigwydd hyn mae'r gwenyn, fel y mab afradlon, yn treulio'u hamser yn meddwi ac yn cysgu nes daw'r stôr o fedd i ben, ac yna yn y gaeaf maen nhw'n llwgu ac yn marw. Dyna destun pregeth ddirwestol!

Gwelais hysbyseb am Swyddogion yn Adran Tollau Tramor a Chartref ei Fawrhydi a bûm yn llwyddiannus yn yr arholiad ysgrifenedig. Cofiaf gerdded trwy farchnad bysgod Billingsgate heibio i'r Monument ar fy ffordd i'r Custom House lle'r oeddwn i ddechrau'r cwrs hyfforddiant cyntaf gan ddyfalu wrth edrych ar yr adeilad cadarn hynafol o'm blaen beth ar y ddaear wnaeth i mi feddwl mai dyma fy uchelgais. Roeddwn yn rhyfeddu i mi lwyddo yn y cyfweliad terfynol a ddilynodd yr arholiad ysgrifenedig. Pan alwyd fi i mewn i ystafell y cyfweliad a gweld pum gŵr difrifol eu gwedd yn eistedd ar un ochr i fwrdd mawr ni allwn beidio â meddwl am yr hen lun enwog *When did you last see your father?* Amneidiodd y Cadeirydd tuag at gadair wag o flaen y bwrdd a gofynnodd:

'Allwch chi ddweud wrthyf fi, Mr Jones, be ydy'r gwahaniaeth rhwng trethi'r *customs* a threthi'r ecseis?'

Bu'n rhaid i mi gyfaddef nad oedd gen i syniad o gwbl. Edrychodd y Cadeirydd fel gŵr wedi ei siomi, ond eglurodd gŵr hynaws ei olwg, a eisteddai ar ei chwith, mae trethi ar nwyddau wedi eu mewnforio oedd trethi'r *customs* tra mai trethi ar nwyddau yn hanu o'r wlad yma oedd trethi'r ecseis.

Bu'r wybodaeth yma o ddefnydd i mi flynyddoedd yn ddiweddarach pan gefais alwad ar y ffôn o'r Swyddfa Gymreig yng Nghaerdydd yn gofyn i mi sut y byddwn yn cyfieithu *Customs and Excise Department* i'r Gymraeg. Ar y pryd defnyddid llawer iawn o gyfieithiadau ond doedd y mwyaf poblogaidd hyd yn oed, 'Adran y Gyllid a'r Doll', yn gwneud fawr o synnwyr. Cynigiais 'Adran Tollau Tramor a Chartref' a dyna'r teitl swyddogol bellach.

Aeth y panel ymlaen i ofyn cwestiynau ynghylch fy addysg, fy niddordebau a'm gyrfa yn y Llynges, a gofynnodd y Cadeirydd, 'Gan mai Cymro ydych chi efallai y gallwch chi ddweud rhywbeth wrthom ni am drethi brecwast Lloyd George?' Unwaith eto bu'n rhaid i mi gyfaddef na wyddwn i ddim ac fel yr eglurai'r gŵr hynaws sut y bu i Lloyd George ddod â'r *MacKenna Duties* i rym fe daniodd y Cadeirydd ergyd arall, 'Dwedwch i mi,' meddai, 'be ydy'r rheswm nad ydy Cymru fel Iwerddon yn mynnu ymreolaeth,—wedi'r cyfan gwledydd wedi eu goresgyn ydy'r ddwy wlad?' Tybiais fod y Cadeirydd yn wrth-Gymreig am ryw reswm ac nad oedd gyrfa yn y Cystoms ar fy nghyfer i, ond gwenais a dweud nad oeddem ni'r Cymry yn ein hystyried ein hunain yn genedl wedi ei goresgyn ond yn genedl a etifeddodd Lloegr yn waddol gyda gwraig Harri Tudur!

Wedi mwy o holi daeth y cyfweliad i ben a phan ddywedais wrth rai o'r ymgeiswyr eraill i mi gael amser caled a diflas dywedodd un ohonyn nhw, 'Roeddet ti'n ffodus—dim ond os ydyn nhw'n hoffi dy olwg di y cei di amser caled; gan fod y Cystoms yn delio â'r cyhoedd maen nhw'n awyddus i weld sut y byddet ti'n ymateb i sefyllfa gas.'

Gwyddel trist ei wedd oedd ein darlithydd cyntaf ond dechreuodd trwy amlinellu i ni, gyda hiwmor annisgwyl, hanes yr adran o ddyddiau'r *portitorium* Rhufeinig, a safai yn yr un man â'r Custom House presennol, hyd at ein dyddiau ni. Ymffrostiodd fod Geoffrey Chaucer wedi bod yn Rheolwr Cystoms am gyflog o ddecpunt y flwyddyn a thraethodd yn huawdl am yrfa Robert Burns fel ecseismon. Yn y drafodaeth gyffredinol ar ddiwedd y ddarlith soniais innau am Lewis a William Morris, a fu'n gasglwyr y Cystoms yn Aberdyfi a Chaergybi ac am eu cyfraniad i lenyddiaeth Cymru. Pan ychwanegais i'r Eisteddfod Genedlaethol gael ei hachub gan Thomas Jones, Glocaenog, ac iddo drefnu'r eisteddfod fodern gyhoeddus gyntaf ym Mai 1789, tra oedd yn Seismon Corwen, bu'n rhaid i mi ddioddef llawer o dynnu coes gan y darlithydd am bopeth Cymraeg neu Gymreig yn ystod yr wythnosau canlynol. Nid tan y wers ar fesur casgenni y ces i'r cyfle i dalu'r pwyth yn ôl. Roedd wedi ein hyfforddi'n fanwl sut i fesur casgen, hyd, lled, radiws ac yn y blaen, cyn iddo egluro nad oedd casgenni yn gyson eu siâp.

'Celfyddyd nid gwyddor yw gwaith *gauger*,' meddai'n llawn balchder, 'a rhaid, wedi mesur, sefyll 'nôl ac amcangyfrif faint o wasgu a fyddai'n angenrheidiol i wneud y gasgen yn unffurf.'

Pan ddywedais yn ddiniwed fod y dull yr oedd wedi ei ddisgrifio yn f'atgoffa o'r ffordd yr arferent bwyso moch yn Iwerddon, fe lyncod yr abwyd a gofyn yn goeglyd,

'A sut maen nhw'n pwyso moch yn Iwerddon, Jones?'

'Maen nhw'n rhoi plencyn mawr dros wal gerrig,' atebais. 'Yna wedi rhoi'r mochyn ar un pen maen nhw'n chwilio am garreg ddigon mawr i gydbwyso'r pen arall—wedyn maen nhw'n sefyll 'nôl a dyfalu pwysau'r garreg!'

Gwyddwn oddi wrth y floedd o chwerthin ein bod ni'n sgwâr.

Wedi'r darlithiau arweiniol cawsom gyrsiau ar bob agwedd o

waith yr Adran, ac ar ôl y darlithiau ar theori'r gwaith anfonwyd ni ar gyrsiau ymarferol. Gyrrwyd fi i Gaergybi i ddysgu gwaith y Cystoms, i'r Alban ar ôl y cwrs ar ddistyllu, i Fflint i ddysgu seismona ac i Lundain am y Dreth Bwrcas a'r gweddill o'r gwaith. Fel y dywedais, doedd dim tafarn ym Morth-y-gest ar ôl i Capten Parry ei phrynu a'i chau. Roedd y Capten yn gefnogwr cydwybodol iawn i'r mudiad dirwest ac yn credu yn gryf ei bod yn ddyletswydd ar arweinwyr crefydd i rybuddio'r genedl rhag peryglon alcohol. Roedd fy nhaid yn flaenor yn y capel a bu Mam yn canu'r organ yno am flynydd-oedd. Cefais feithrinfa yn yr Ysgol Sul, Cyfarfod Gweddi, *Band of Hope*, Seiat, Dosbarthiadau Darllen a Chyfarfodydd Diwylliannol, ond er y pwyslais mawr ar ddirwest wnes i ddim derbyn egwyddor llwyrymwrthod ag alcohol, ond yn hytrach derbyniais gyngor yr Apostol Paul i Timotheus:

> Bellach, paid ag yfed dŵr yn unig, ond cymer ychydig o win at dy stumog a'th aml anhwylderau.

Tipyn o newid, er hynny, i fachgen ifanc gyda fy nghefndir i, oedd gwaith Swyddog Tollau'r Adran Dramor a Chartref gyda gwin, gwirod a chwrw yn llifeiriant di-doll o'm hamgylch. Mae'n debyg fod yr awdurdodau yn cymryd peth cyfrifoldeb am hyn gan y byddai swyddog a ladratai hances boced, hyd yn oed, yn sicr o gael ei ddiswyddo ar unwaith tra anwybyddid y drosedd o feddwi petai'n bosibl. Er hynny, gwelais lawer i hen seismon yn ysgwyd ei ben yn drist wedi iddo ddarllen yn ein cylchgrawn misol fod hen gyfaill iddo wedi ei symud yn orfodol o ddistyllfa neu fragdy i warws de ym Mryste! Roedd un o'r seismyn a ddysgai'r grefft i mi wedi treulio oes yn gweithio mewn ystordai caeth yn llawn o gasgenni gwin o bob math. Ei waith oedd codi toll ar y gwinoedd cyn iddynt adael yr ystordy, a daeth i wybod llawer am ansawdd gwinoedd yn ystod ei yrfa. Cofiaf ef yn dweud na waeth o ba ran o'r byd y deuai gwin, y gellid cael gwin i'w guro yn Ffrainc. Dyma rai o'i ragfarnau a glywais ar ddechrau fy ngyrfa.

Brenin gwinoedd Ffrainc yw Champagne ac fe'i gwneir yn addas i bob amgylchiad a phob math o fwyd. Mae ar ei orau rhwng deg a phymtheng mlwydd oed a'r unig beth sydd yn ei erbyn yw ei bris.

Daw'r gwin gwyn gorau o Furgwyn a'r gwin coch gorau o Bordeaux. Fel arfer, cysylltir Burgundy â chochni ond mynnai ef mai'r gwrthwyneb oedd yn wir—Burgundy gwyn a Bordeaux coch. Enghraifft dda o win gwyn Burgundy yw Chablis ac enghreifftiau o win coch Bordeaux yw Medoc a St. Emilion. Wfftiai at winoedd gwyn poblogaidd Bordeaux fel Graves a Sauterne yn ogystal ag at winoedd coch poblogaidd Burgundy. Mewn amser deuthum i anghytuno â rhai o'i reolau, yn enwedig ar ôl profi gwinoedd Dyffryn Rhône. Roedd yn pwysleisio nad i farnu a oedd ei flas yn plesio ai peidio y rhoddir ychydig o win i chi o botel newydd mewn gwesty, ond er mwyn i chi sicrhau nad yw'r corcyn wedi effeithio ar y gwin a'i ddifetha.

'Arogli'r gwin wyt ti i fod i'w wneud,' meddai, 'a waeth i ti heb â disgwyl iddyn nhw ei newid os yw'r corcyn yn iawn.'

Gwn fod yr hen fachgen yn credu'n gryf yn yr adnod o Ecclesiasticus:

> Gwin sy gystal â bywyd i ddyn, os yfir ef yn gymesurol: pa fywyd gan hynny sydd i'r dyn sy heb win? Canys i lawenychu dynion y crewyd ef.

Byddai ganddo gydymdeimlad mawr â'r rhai sydd yn gwrthwynebu yfed gwin dialcohol yn y Cymun yn lle ffrwyth y winwydden.

'Rhoi ryw gemicals sothach ar Fwrdd yr Arglwydd,' oedd dyfarniad W. J. Gruffydd yn ôl Ernest Roberts.

Cefais ragor o dynnu 'nghoes ar y cwrs distyllu gan i mi sôn am y ddistyllfa Gymreig. Codwyd distyllfa ym 1887 yn Frongoch ger y Bala i wneud wisgi Cymreig gan y tybid bod dŵr mawnog Afon Tryweryn yn ateb y gofyn i'r dim, ond yn anffodus daeth y fenter i ben yn aflwyddiannus ym 1900. Er mai dim ond tri swllt oedd pris gwreiddiol potel o'r wisgi a werthid fel Royal Welsh Whisky roedd potel wedi ei gwerthu am £100 ychydig cyn y cwrs, a bûm yn ddigon ffôl i sôn am hynny!

Fel arfer, i un o'r *pot stills* yn yr Alban yr anfonid y dysgwyr i ennill profiad, ond i'r White Horse Distillery yn Glasgow yr anfonwyd fi a'm cyd-fyfyrwyr. Lle rhyfedd iawn yw distyllfa, tebyg i garchar mawr a hyd yn oed yr adeg honno roedd dros fil o bunnau o doll ar bob casgenaid o wisgi. Cedwid dwy allwedd a dau glo i bob drws ac i bob tap yn y ddistyllfa, un i'r perchen-ogion a'u gweision ac un i'r seismyn, ac ni allai na seismon na pherchennog agor clo na thap heb i'r llall fod gydag ef. Gan fod pedwar neu bump o ddysgwyr yn cyrraedd y ddistyllfa ar y tro i ddysgu'r grefft tyfai brawdgarwch cryf rhyngddynt a chofiaf hanesyn sy'n dangos hynny'n dda.

Roedd un o'r bechgyn ar y cwrs yn gymeriad hynod o hoffus ond yn ddiarhebol o ddiog, ac felly yn fuan iawn ar y cwrs daeth i ddealltwriaeth gyfrinachol â'r fforman, a phan fyddai hwnnw yn y bore bach yn taflu llond llaw o gerrig mân yn erbyn ffenest ei stafell wely byddai'r diogyn yn taflu'r allweddi i lawr, mynd yn ôl i gysgu a chael ei allweddi yn ôl amser brecwast. Rywfodd neu'i gilydd daeth yr Arolygwr i glywed am hyn a phenderfynodd ddal y troseddwr. Un bore, ychydig cyn yr amser penodedig i ymweld â'r ddistyllfa, rhoddodd hen sach dros ei ysgwyddau, safodd dan stafell y bachgen a thaflodd lond llaw o gerrig mân at ei ffenest. Yn ôl yr arfer daeth yr allweddi i lawr a heb dorri gair â'r bachgen aeth yr Arolygwr yn syth i'w swyddfa i anfon adroddiad am yr hyn a ddigwyddodd i'r Bwrdd yn Llundain.

Ymhen ychydig ddyddiau daeth ffeil swyddogol o Lundain yn gofyn i'r bachgen ateb y cyhuddiad. Wedi i'w gyfeillion drafod y mater cynghorwyd y troseddwr i ateb fel hyn:

'Taflodd yr Arolygwr gerrig mân at fy ffenest i ofyn am yr allweddi ac felly fe'u teflais nhw i lawr iddo.'

Pan ddarllenodd yr Arolygwr yr ateb aeth yn wyllt ac ychwanegodd:

'Roedd yn hollol amhosibl i'r gŵr ifanc fy adnabod gan 'mod i wedi rhoi baw ar fy wyneb, hen gôt amdanaf a sach dros f'ysgwyddau.'

Pan anfonwyd y ffeil yn ôl i'r bachgen galwyd pwyllgor brys arall a'r ateb y tro hwn oedd,

'Allwn i weld dim allan o'r cyffredin yng ngolwg yr Arolygwr.'

Dyna oedd diwedd y ffeil honno!

Roedd y brwydro cyson rhwng y swyddogion ifainc a'r arolygwyr yn achos llawer o hwyl ddiniwed. Roedd un arolygwr mor gydwybodol yn ôl yr hanes, fel na adawodd y swyddfa ond am ddwyawr i fynd i gladdu ei wraig. Llysenwyd ef yn 'Dafydd Ddu' am y mynnai anfon adroddiad swyddogol i'r Bwrdd am bob mân drosedd a gyflawnid. Arhosai yn y swyddfa am wyth o'r gloch y bore gyda'i wats o'i flaen ac os byddai un o'r bechgyn funud yn hwyr gofynnai iddo ysgrifennu eglurhad a'i roi iddo. Pan ofynnwyd i Charles Lamb pam roedd wastad yn hwyr yn cyrraedd ei swyddfa atebodd,

'Ond Syr! Ydych chi ddim wedi sylwi mor gynnar rwy i'n gadael!'

Ateb un bachgen i Dafydd Ddu, fodd bynnag, oedd: 'Y rheswm 'mod i'n hwyr heddiw oedd y ffaith na chyrhaeddodd fy nhrên stesion Bond Street tan wyth o'r gloch.'

Ysgrifennodd yr Arolygwr oddi tano, 'Pam oedd y trên yn hwyr?' Ateb, 'Doedd y trên ddim yn hwyr. Wyth o'r gloch oedd hi i fod i gyrraedd.'

'Pam na wnaethoch chi ddal trên cynt?'

'Am na wnes i gyrraedd Stesion Shepherds Bush mewn pryd.'

'Pam na wnaethoch chi gyrraedd mewn pryd?'

'Am na wnes i adael y tŷ mewn pryd.'

'Pam?' Sylweddolodd yr Arolygwr na allai anfon ffeil fel honno i'r Brif Swyddfa, torrodd y papur yn ddarnau ac am unwaith rhoddodd y ffidil yn y to.

I Gaergybi yr anfonwyd fi i ddysgu gwaith y Cystoms a bûm yn ddigon ffodus i gael Dai Williams yn athro i mi. Byddai yn gyntaf yn dweud beth ddylid ei wneud cyn dweud sut y byddai ef yn delio â'r sefyllfa. Cefais esiampl o'r ffordd dyner y deliai â mân droseddau a achosid gan syched. Ni fyddai'n torri'r rheolau'n gymaint â'u glastwreiddio. Ychydig cyn y Nadolig roeddwn i yno a llifai anrhegion o bob math o Iwerddon trwy'r Cystoms ac yn eu plith roedd llawer o gywion ieir, gwyddau a thwrcïod yn anrhegion i offeiriaid. Edrychai'r swyddog yn ofalus ar bob un, rhoddai ei law o'u mewn yn ddeheuig ac yn eithaf aml tynnai allan botel fach o wisgi 'John Jameson'. Wedi twtian ei anghymeradwyaeth ac ysgwyd ei ben rhoddai'r botel yn ei boced a symud ymlaen.

Y tro cyntaf imi weld hyn yn digwydd gofynnais,

'Ydych chi ddim am gofrestru'r drosedd?'

''Machgen i,' oedd yr ateb, 'os gwna i hynny fe fydd yr offeiriad druan yn colli ei ginio 'Dolig. Mae'n ddigon caled arnyn nhw fel y mae hi, wyt ti ddim am i mi wneud hynny wyt ti?'

'Ond beth am y wisgi?'

'O, wiw i mi adel iddo gael y wisgi—byddai hynny'n cefnogi smyglo—fe ga i hwnnw efo 'nghoffi.'

Dywedid bod Dai wedi gweld offeiriad yn mynd trwy'r adwy gyda *Nothing to declare* arni heb agor ei fag pan sylwodd fod golwg go ryfedd ar ei wyneb—rhyw hanner cywilydd a hanner gwên fuddugoliaethus. Trawodd yr offeiriad yn ysgafn ar ei ysgwydd a gofyn iddo agor ei fag. Pan agorwyd y bag gwelwyd dwy botel o wisgi yn gorwedd ar ben y dillad yn lle'r un yr oedd ganddo hawl iddi. Edrychodd yn finiog a gofyn,

'Oes arnoch chi ddim cywilydd ohonoch eich hun?'

'Oes wir,' meddai'r offeiriad yn goch at ei glustiau.

'Wel, dos ac na phecha mwyach,' meddai Dai, gan godi ei law yn ddramatig a phwyntio at y fynedfa.

Nid bob amser y byddai'r swyddog yn cael y gorau o sgarmes a dywedodd cyfaill i mi yn Abertawe sut y bu i'w ewythr dwyllo'r Cystoms yn ddidwyll iawn. Yr adeg honno roedd toll drom ar sidan ac wrth ddod adref ar ôl mordaith yn y Môr Canoldir penderfynodd geisio osgoi talu'r doll trwy glymu'r sidan am ei ganol o dan ei ddillad. Fel llawer un o'i flaen collodd ei hyder pan ddaeth wyneb yn wyneb â Swyddog y Cystoms a hwnnw'n gofyn a oedd ganddo unrhyw beth i'w ddatgan.

'Oes,' meddai yn anfodlon.

'Be sy gynnoch chi?'

'Anrheg i 'ngwraig.'

'Ble mae hi?'

'Dan fy nghrys i.'

'Peidiwch â bod yn ddigywilydd,' meddai'r swyddog gan amneidio arno i fynd yn ei flaen trwy'r fynedfa!

Ambell waith gallai smyglwr fod yn hynod o anlwcus. Un diwrnod roeddwn yn edrych ar lwyth o bibellau a fewnforiwyd o Iwerddon ar ddec llong pan sylwais fod pob pibell wedi ei llenwi â gwair. Ar fympwy gofynnais yn ddigon dihidans i'r agorwr dynnu'r gwair allan o un bibell. Yno, yng nghanol y gwair, roedd llongwr wedi cuddio paced dau gant o sigarennau. Bu rhaid edrych trwy'r gweddill o'r pibellau wedyn ond dyna'r cyfan a guddiwyd a buaswn wedi bod yn falch petawn wedi dewis unrhyw bibell arall.

Dro arall roedd y swyddog yn dangos i ni'r dysgwyr sut i ddefnyddio *spit*, sef math o gleddyf main, main, ac i ddangos ei bwrpas trywanodd sachaid o resin ag ef ac yna arogli blaen y *spit* a dweud, 'Pe byddai baco wedi ei guddio yn y sach resin yma fe allech ei arogli.' Er ei fawr syndod *roedd* aroglau baco cryf ar y *spit* ac wedi agor y sach gwelwyd fod pecyn dau gant o sigarennau wedi ei drywanu yn union trwy ei ganol!

Yn y blynyddoedd cynnar roedd yn llawer haws dod o hyd i nwyddau a guddid gan longwyr am fod llawer o'r llongau yn dal i losgi glo. Druan o'r llongwyr, doedden nhw ddim yn sylweddoli fod haen ysgafn o lwch glo dros holl gelfi'r llong a gwelid ôl bysedd y troseddwyr yn glir ar y cuddfannau.

Aeth dwy flynedd hapus iawn heibio yn symud o amgylch Prydain yn dysgu gwahanol agweddau ar y gwaith a chawsom ni'r dysgwyr lawer o hwyl yng nghwmni ein gilydd. Am ryw reswm cesglid y drwydded i gadw cŵn gan yr Adran Tollau Tramor a Chartref yn yr Alban ac nid gan y Llywodraeth Leol fel yng ngweddill Prydain. Unwaith y flwyddyn ceid rhestr yn dangos pwy oedd wedi talu trwydded am gadw cŵn yn ogystal â rhestr yn dangos pwy oedd wedi talu am drwydded i werthu baco, cwrw, gwirod ac yn y blaen. Ein gwaith ni fechgyn oedd gwneud yn siŵr fod y rhestri yn gywir ac wedi cael y rhestr yn dangos cyfeiriad y perchenogion cŵn a dalodd am drwydded, caem lawer o hwyl wrth fynd i lôn gefn rhes o dai a chyfarth fel ci. Byddai cŵn yr ardal i gyd yn ymateb ar unwaith a hawdd iawn oedd gweld a oedd y rhestr yn gywir a chyflawn.

Ar y pumed o Fai 1951, priodwyd Mary a finnau yng nghapel Oaklands, Shepherds Bush, a llwyddais i gael apwyntiad i ganol Llundain i ddelio yn arbennig â'r dreth bwrcas tra daliodd Mary i weithio yn y banc er mwyn i ni grynhoi digon o arian i gael morgais ar dŷ. Bûm yn gweithio yn ardal Portobello Road i ddechrau cyn cael fy symud yn gyntaf i Soho ac wedyn i Oxford Street a'i chyffiniau. Yr adeg honno doedd marchnad Portobello Road ddim wedi datblygu i'r hyn yw hi heddiw, ond mae'n syndod faint o gwmnïau adnabyddus a ddechreuodd mewn ystafell gefn yn yr ardal honno. Gwneid ynddynt gotiau ffwr a dillad yn ogystal â chelfi tai a nwyddau cemegol o bob math i'w gwerthu yn y siopau mawr. Pan oedd y dreth cyn uched â chant y cant roedd y demtasiwn i werthu am arian sychion heb infois yn fawr, a rhan o'm gwaith oedd galw yn y siopau yn ddirybudd i wneud yn siŵr fod gan y siopwr infois am y nwyddau oedd ganddo yn ei siop, ac wedyn dilyn y dreth 'nôl trwy lyfrau'r gwneuthurwr i sicrhau bod yr arian treth wedi eu talu i'r Llywodraeth. Treth effeithiol iawn oedd y dreth bwrcas gan y telid naw deg y cant o'r cyfanswm gan gwmnïau mawr. Ar y cyfan doedd cwmnïau mawr ddim yn ceisio osgoi talu'r dreth a oedd yn ddyledus gan y byddai rhaid i ormod o bobl wybod y gyfrinach fod twyllo'n digwydd. Barnaf fod naw deg y cant o berchenogion a chwmnïau bychain preifat yn onest hefyd, am fod ar y perchenogion eisiau cysgu'n dawel wedi diwrnod o waith. Er hyn, roedd dal yr ychydig a dorrai'r gyfraith yn waith dygn a chaled, gan fod gwybod bod rhywun yn twyllo, a phrofi hynny mewn llys barn, yn ddau beth gwahanol iawn. Roeddwn i o'r farn fod peidio â thalu'r dreth bwrcas yn waeth trosedd na pheidio â thalu'r dreth incwm, er na fyddai'r Llywodraeth yn cytuno efallai, gan mai eich arian chi eich hunan a hawlir gan y Llywodraeth yw'r dreth incwm tra mai arian a ymddiriedwyd i fasnachwr gan ei gwsmer, a hwnnw'n ffyddiog y byddai'n mynd i'r Llywodraeth, yw arian y dreth bwrcas fel y dreth ar werth.

Gwaith diflas a llafurus iawn oedd paratoi'r achosion cyn iddyn nhw fynd o flaen llys barn. Hawdd iawn fyddai mynd yn sinigaidd wrth sylweddoli nad cyfiawnder mae'r bargyfreithwyr yn anelu ato ond llwyddiant achosion y rhai sy'n eu cyflogi. Lawer gwaith gwelais fargyfreithiwr medrus yn gwneud hwyl am ben tyst i geisio dangos na ddylid cymryd sylw o'i dystiolaeth. Cofiaf Iddew druan yn tystio i rywbeth ddigwydd ar ddiwedd mis Medi.

'Y dyddiad! Y dyddiad!' taranodd y bargyfreithiwr. 'Gadewch i ni gael y dyddiad os gwelwch yn dda.'

Yn ei ffwdan atebodd, 'Medi'r unfed ar ddeg ar hugain,' yn lle dweud y dydd olaf o'r mis fel y dylai.

'Yn y wlad yma,' meddai'r bargyfreithiwr, mor goeglyd ag y gallai, 'does dim unfed ar ddeg ar hugain ym mis Medi.' Roedd y floedd o chwerthin yn y llys yn ddigon i sicrhau na chymerai'r rheithwyr lawer o sylw o dystiolaeth yr Iddew er iddo ddod yno'n wirfoddol i dystio i'r gwir. Welais i'r Adran erioed yn dod ag achos yn erbyn neb os na thybient fod y cyhuddiedig yn euog, a gwelais lawer troseddwr yn mynd yn rhydd am fod y mymryn lleiaf o amheuaeth ym meddwl cyfreithwyr yr Adran.

Nid oes troi'n ôl i bechadur sy'n troseddu yn erbyn y gyfraith ac mae llawer o raglenni'r teledu yn tanlinellu hyn bellach ac yn gwneud gwaith yr erlidwyr yn fwy anodd. Pan ddywed swyddog wrth droseddwr mai'r peth gorau y gall ei wneud yw dweud y gwir mae ymhell o fod yn dweud y gwir ei hunan. Byddai'r un a gyfaddefai ei fai yn derbyn cosb lem tra byddai'r troseddwr a wrthodai gyfaddef yn mynd yn gwbl ddi-gosb am na ellid profi i'r llys nad oedd dim dwywaith am ei euogrwydd. Er enghraifft, petai smyglwr yn cyfaddef iddo werthu nwyddau a smyglodd i ddwy siop yn y dre byddai rhaid galw yn y siopau i holi ymhellach. Petai'r siopwr cyntaf yn cyfaddef, 'Do wir, prynais y nwyddau ac mae'n wir edifar gen i, wna i byth eto,' eid ag ef o flaen ei well a'i gosbi am werthu nwyddau a smyglwyd. Petai'r llall yn ateb, 'Naddo wir, a ddweda i'r un gair arall ond trwy 'nghyfreithiwr,' mae'n fwy na thebyg yr âi'n ddi-gosb gan na fyddai digon o dystiolaeth yn ei erbyn!

Ardal anghyffredin iawn i weithio ynddi oedd Soho: pentref bach yng nghanol Llundain gyda chymysgfa o bobl o bob rhan o'r byd yn byw yn hapus gyda'i gilydd. Ceir yno dai bwyta lle gellir profi bwyd o bob gwlad bron, yn ogystal â gweithdai a ffatrïoedd bychain yn gwneud pob math o nwyddau. Yn y canol mae marchnad lysiau a ffrwythau lewyrchus Berwick Street, ac o amgylch honno mae hysbysebion yn cymell pobl i brofi pob math o gampau rhywiol. Yn y drysau llecha'r puteiniaid a'r gwŷr sy'n byw ar eu henillion. Dyw'r natur ddynol ddim yn wahanol yn Soho neu yn Portobello Road i natur ddynol ym moethusrwydd Oxford Street, a gweithiai'r mwyafrif o'r trigolion yn ddigon caled i ennill bywoliaeth heb gymryd sylw o'r atyniadau i'r twristiaid.

Gwelais raglen ar y teledu beth amser yn ôl yn disgrifio ymweliad gwraig o un o gymoedd dinad-man Sir Efrog â Llundain. Roedd wedi sgrifennu hanes ei bywyd yn y cwm ac yn cael ei hanrhydeddu fel 'Gwraig y Flwyddyn' yng ngwesty'r Savoy. Dyna'r tro cyntaf iddi adael bro ei mebyd, ac wedi'r ciniawa aeth y wasg a'r teledu â hi am dro o amgylch Soho. Symudai'r camerâu yn ôl a blaen o'i hwyneb at yr hysbysebion rhywiol wrth iddi gerdded trwy farchnad Berwick Street, ac ar ddiwedd y daith gofynnodd y gŵr a oedd yn ei thywys beth oedd hi'n ei feddwl o Soho.

'Roedd hi'n ddiddorol iawn gweld cymaint o lysiau o bob math a'r rheini o safon mor uchel,' oedd yr ateb.

Bedair blynedd cyn i mi ymddeol bu rhaid i mi fynd yn ôl i Soho am fis fel *locum* am fod Arolygwr yr Adran Ymchwil wedi ei daro'n wael yn sydyn, ac na ellid gadael ei swydd yn wag. Anfonwyd nodyn o amgylch y swyddfa yn dweud 'mod i yno ac o ganlyniad daeth rhai o'r bechgyn a fu yno yr un amser â mi i'm stafell i'm gweld; ond roedd newid mawr wedi digwydd yn ystod y chwarter canrif a methais eu hadnabod. Doedd yr hynafgwyr boliog penfoel ddim yn dwyn i gof y bechgyn a arferai weithio gyda mi ac o ganlyniad i hynny a'r ffaith 'mod i bellach yn gorfod gwisgo sbectol dau wydr, collais fy hunan-hyder yn llwyr gyda golwg ar adnabod unrhyw un. Wrth i mi adael y swyddfa yn hwyr un noswaith trawodd merch ifanc olygus fi ar f'ysgwydd a'm cyfarch gyda 'Helô' a gwên.

'Wel! Helô!' meddwn innau gan wenu'n ôl mor rhadlon ag y gallwn i geisio cuddio'r ffaith 'mod i'n ceisio dyfalu pwy ar y ddaear oedd hi. Wedi i ni syllu ar ein gilydd am beth amser heb imi gael ysbrydoliaeth, dywedodd y butain yn ddiamynedd, 'Wel 'dych chi am ddod gyda mi ai peidio?' Wedi hynny doedd gen i ddim digon o hyder hyd yn oed i wenu ar neb!

Er bod gweithio yn siopau mawr Oxford Street megis John Lewis, D. H. Evans a Selfridges yn ddigon diddorol roedd gen i hiraeth ar ôl cymeriadau difyr Soho a Portobello Road. Bûm yn ffodus hefyd yn Llundain i gydweithio â chymeriadau disglair a diddorol. Yn yr un swyddfa roedd Eric Burgess, y nofelydd, a Stan Cramp, yr ornitholegwr, a ymddiswyddodd wedi i mi adael, i olygu'r *Oxford Book of Birds*. Roedd cyd-weithiwr arall yn anfon adroddiadau o gyngherddau i'r *Observer* a cheir disgrifiad diddorol iawn gan George Melly yn ei hunangofiant o ffrwgwd a fu rhyngddynt pan fu'n lletya yn ei dŷ. Roedd George Burns, a fu'n Lifftenant yn y Llynges, yn gwerthu'r *Daily Worker* y tu allan i Neuadd y Dref yn Hammersmith ar bnawn Sadwrn tra oedd syniadau politicaidd S. F. Cook i'r dde i syniadau Gengis Khan. Bu Sidney Cook yn fêt ar long fasnach ac yn *Lieutenant Commander* yn y Llynges yn ystod y rhyfel. Roedd yn arbenigwr ar hen gelfi a hen lestri a threuliais oriau diddan yn ei gwmni yn yr Amgueddfa Brydeinig ac yn y Victoria and Albert lle y deffrôdd fy niddordeb yn llestri Abertawe a Nantgarw. Sidney oedd y sinig mwyaf y deuthum ar ei draws erioed a chofiaf ddadlau ag ef pan honnodd na wnaeth neb ddim byd dros neb arall heb ddisgwyl cydnabyddiaeth neu elw.

'Beth am fywyd Crist?' gofynnais.

'Wel, fe wnaeth ddigon o enw iddo'i hun, oni wnaeth?' oedd yr ateb.

Aeth D. V. Warren â fi i ocsiwn stampiau am y tro cyntaf ac erbyn i mi adael Llundain roedd gen i gasgliad diddorol o stampiau Prydain. Un o fanteision y ffaith fod seismyn yn gorfod gweithio gyda'r nos oedd ei bod yn bosibl dilyn diddordebau fel hyn ambell brynhawn.


## VI

Ym mis Ionawr 1957 ganwyd ein merch, a chan nad oeddem am fagu plentyn yng nghanol Llundain chwiliais yn daerach am swydd yng Nghymru. Cyn y rhyfel rhoddid ffafriaeth yn yr ardaloedd Cymraeg i siaradwyr Cymraeg ond roedd yr arferiad wedi ei ddileu ar ôl y rhyfel ac roedd yn anodd iawn cael swydd yno, ond o'r diwedd, ym mis Awst 1957, llwyddais i gael swydd yn Abertawe. Rhaid cyfaddef i mi gael ysgytwad wrth ddod i'r dre am y tro cyntaf ar y trên gan i anialwch diwydiannol hyll Glan-dŵr godi braw arna i, ond byddai'n anodd dod o hyd i ardal well i fagu plentyn na Bro Gŵyr. Cawsom lawer siwrnai hapus dros y Mynydd Du i gastell Carreg Cennen gan gasglu llus ar Fynydd y Gwair ar y ffordd, ac nid oes lleoedd gwell yn ystod hafau heulog na thraethau prydferth Tri Chlogwyn, Porth Eynon a Rhosili. Yn Nhŷ'r Cymry cawsom ein croesawu i gymdeithas ddiwylliannol a oedd yn gallu galw ar Crwys, yr Athro J. R. Jones, yr Athro T. J. Morgan, yr Athro J. Gwyn Griffiths, yr Athro Stephen J. Williams, yr Athro Ellis Evans, y Parchedig Trebor Lloyd Evans, Miss Mati Rees, Dr Pennar Davies ac eraill tebyg o fysg yr aelodau i gymryd rhan. Cafodd

J. O. Jones yn 1945 ar ddiwedd y rhyfel.

ein merch, Susan, addysg ardderchog yn Ysgol Gymraeg Cwmbwrla ac rwy'n ddyledus i Gymdeithas Rhieni Lôn-las a Chwmbwrla am lu o gyfeillion.

Roeddwn yn ffodus iawn ar yr un pryd i fod wrth fy modd gyda 'ngwaith fel seismon yn y dref. Hynodrwydd swydd seismon yw'r ffaith nad oes rhaid iddo ufuddhau i'r alwad i fod yn rheithiwr. Wedi cyrraedd Abertawe a chwilota ymysg hen ddogfennau deuthum ar draws y rheswm am hyn. Cwynai'r seismyn fod dinasyddion pwysig Abertawe a Chastell-nedd yn manteisio ar eu gallu i benodi'r seismyn yn rheithwyr er mwyn

51

sicrhau y bydden nhw'n ddiogel o'r ffordd gyda'u dyletswyddau yn y llys pan fyddai tipyn o smyglo ar droed.

Y ddogfen ddiddorol gyntaf oedd llythyr yn Saesneg oddi wrth seismyn Abertawe at Fwrdd y Comisiynwyr yn Llundain, 30 Hydref 1732:

> 'Anrhydeddus Foneddigion
> Bu'n arferiad yma'n ddiweddar i Stiwardiaid y Llys wysio seismyn i wasanaethu'n rheithwyr—ac mae'n ymddangos i ni yn gynllwyn i'w galluogi i smyglo mesur anferth o nwyddau tra bydd eich swyddogion yn gwasanaethu felly. Yr ydym . . . [ac yn y blaen].'

Wedi i'r Comisiynwyr roi pen ar yr arferiad, darganfu'r dinasyddion ffordd arall o rwystro'r seismyn, ac yn Ebrill, 1745, ysgrifennodd y seismyn drachefn:

> 'Mewn ufudd-dod gostyngedig i'ch Anrhydeddau,
> Yr ydym yn gofyn caniatâd i erfyn arnoch i ddweud wrthym a oes gallu gan y rhai sydd yn penodi Gwardeiniaid Eglwys yn y dref hon i orfodi'r seismyn i wasanaethu yn y swydd hon . . . os oes y gallu gan drigolion y dref i feichio'r seismyn â'r swyddi hyn fe ymfalchïant yn hyn ac fe benodant seismyn ar bob cyfle er colled fawr i gyllid y wlad.'

Ym mis Mai, 1745, trefnodd y Comisiynwyr i'w cyfreithwyr anfon gwŷs i Abertawe i atal gorfodi'r swyddogion i wasanaethu fel Gwardeiniaid Eglwys a gofyn i'r swyddogion ddweud wrthynt pe deuai unrhyw gais arall o'r fath o Lys yr Esgob. Atebodd Stiwart y Llys drwy roi hysbysiad yn Llyfr yr Eglwys, wedi'i arwyddo gan bob un o'r plwyfolion a oedd yn bresennol, y byddent yn erlid y seismyn i'r eithaf—hyd at ysgymuniad pe bai angen. Nid oes cofnod i un ohonynt gael ei ysgymuno, ond os cafodd nid oedd yn ddigwyddiad digon pwysig i hysbysu'r Comisiynwyr yn ei gylch gan nad oes rhagor o ohebiaeth ar y pwnc.

Gwaith difyr oedd seismona yn y dref. Rhan o'm gwaith oedd ymweld yn rheolaidd â'r bragdy, pob tafarn, pob sinema, pob siop fetio ac â phob cwmni yn y dref bron, i ddelio â phroblemau mewnforio, allforio neu'r dreth bwrcas. Does wiw i unrhyw un gwyno am ei waith wrth rai nad ydynt wrth yr un alwedigaeth. Metha athrawon ddirnad pam na chânt gydymdeimlad pan gwynant mai dim ond dwy wers rydd yr wythnos sydd ganddynt, a bûm innau'n ddigon ffôl i gwyno unwaith bod rhaid i mi alw yn y bragdy, mewn dwy dafarn a galw i weld rasys milgwn cyn y gallwn fynd adref.

'Ac rwyt ti'n cael dy dalu am fynd hefyd!' oedd yr ymateb cenfigennus.

Un fantais o orfod gweithio yn hwyr yn y nos oedd y gallwn dreulio ambell i bnawn yn dilyn helyntion tîm criced Morgannwg ar faes y Santes Helen a chefais lawer awr ddiddan yng nghwmni Crwys yn eistedd yn yr haul yn mwynhau ei sgwrs lawn cymaint â'r gêm.

Cyn dod i gysylltiad â'r byd betio arferwn feddwl fod betio ar rasys milgwn yn fwy o ffolineb hyd yn oed na betio ar rasys ceffylau, ond synnais glywed bwci profiadol yn gwrth-ddweud hyn. 'Mae'n hawdd prynu joci,' meddai, 'a'i gael i golli ras, ond all neb orfodi milgi i golli.' Ceisiai ambell i berchennog beri i'w gi golli trwy roi gormod o fwyd neu ddiod iddo ychydig cyn y ras, ond beth bynnag a roir iddo bydd milgi yn sicr o wneud ei orau i ennill. Ceid dau stadiwm rasys milgwn yn Abertawe, un yn Fforest-fach a'r llall yn Sgiwen ac roedd rhaid mynychu'r ddau ddwywaith neu deirgwaith bob wythnos. Ces fy siomi ar yr ochr orau yno gan y tybiwn cyn mynd y byddai'r dasg yn un ddigon diflas, ond roedd cymaint yn digwydd bob nos fel yr âi'r amser heibio fel y gwynt. Roedd yr awyrgylch yn unigryw, gyda goleuadau llachar uwchben y maes, a'r cŵn yn cael eu tywys i fyny ac i lawr y trac cyn pob ras er mwyn i'r cwsmeriaid benderfynu pa gi oedd i gario'u harian ar ei gefn. Pan rybuddiai'r corn siarad fod y ras ar fin cychwyn rhuthrai pawb i osod eu betiau ar y tôt neu gyda bwci. Ceid oddeutu wyth ras bob nos a rhwng y rasys gwelid y deg bwci ynghanol torf o ddynion yn cynnig telerau betio ar bob ci yn y ras. Gan fod pob bwci yn gweiddi nerth ei ben a'r cŵn yn cyfarth ac udo roedd y sŵn yn fyddarol. Does dim os nac oni bai nad yw milgwn wrth eu bodd yn rasio a phan glywid sŵn y sgfarnog drydan yn cychwyn ar ei thaith o amgylch y trac rhoddai pob ci yn y stadiwm naid ar ei hôl, ac roedd rhaid i berchenogion y cŵn nad oedd yn y ras afael yn dynn i'w cadw rhag dilyn. Ychydig iawn o ferched fyddai'n mynychu'r rasys ac roedd y rheini fel arfer yn eistedd yn y bar yn edrych fel pe baen nhw'n ysu am gael mynd adref.

Pan ddaeth y dreth fetio i rym ni allwn beidio â theimlo fod yr Adran yn llawdrwm iawn ar y bwci druan. Roedd llawer iawn o rai bach wedi arfer sefyll ar gornel stryd yn casglu slipiau betio oddi ar eu cwsmeriaid a gwyddai'r heddlu amdanynt yn iawn er mai dim ond unwaith neu ddwy y flwyddyn yr eid â nhw o flaen eu gwell i gael eu dirwyo rhyw ganpunt; am y gweddill o'r flwyddyn goddefai'r heddlu iddyn nhw ddal ymlaen â'r busnes. Wedi i'r Llywodraeth wneud betio yn gyfreithlon a chaniatáu agor siopau betio cafodd bron pob un bwci drwydded i agor siop. Rhaid bellach oedd iddynt roi tocyn am bob bet a dderbynient a thalu treth ar y cyfanswm, ond roeddynt yn gyndyn iawn i ddeall na fyddai'r Adran yn delio â throseddau yn yr un modd â'r heddlu ac yn mynd â nhw o flaen yr ustusiaid bob tro y torrent y gyfraith.

Achosai'r ffaith mai fi oedd y Cymro Cymraeg cyntaf yn y swydd yn yr ardal ers llawer blwyddyn, ambell ddigwyddiad digon lletchwith o bryd i'w gilydd. Pan ddaeth y dreth fetio i rym roedd y seismyn i alw yn y siopau yn ddirybudd i sicrhau fod pob cwsmer a fetiai yn derbyn tocyn yn dangos cyfanswm y fet a bod y bwci yn cadw copi. Wedi i mi alw yn siop Dai, er enghraifft, rhoddai cwsmer ei ben i mewn i'r siop, taflu punt ar y cownter a galw,

'Dai, punt i mi ar Red Rum, dau o'r gloch yn Aintree.'

Wedi edrych arna i galwai'r bwci ar ei ôl,

'Aros i ti gael dy dicet, bachan.'

'Be w i'n moyn ticet w?'

'Wel ie, ticet fel arfer boi bach siŵr iawn.'

'Ches i ddim ticet 'da ti o'r blân, Dai,' fyddai ateb dryslyd y cwsmer.

Ysgwyd ei ben yn drist a wnâi Dai a dweud,

'Ma'n anodd dysgu'r bois 'ma shwt ma gneud pethe'n iawn, yti wir!'

Pan ddechreuais weithio yn y dre, gydag ambell eithriad, roedd y gweithwyr yn y gweithfeydd newydd a sefydlwyd wedi'r rhyfel yn troi i'r Saesneg pan siaradwn â nhw yn Gymraeg. Roedd dau reswm am hyn mae'n debyg, sef yr ofn na fyddai eu rheolwr yn hoffi clywed Cymraeg a'r ffaith fod tafodiaith y gogledd yn ddiarth iddyn nhw. Diolch i radio a theledu am ddod â ni'n fwy cyfarwydd â thafodieithoedd ein gilydd gan mai profiad trist oedd clywed:

'I'm sorry, I don't understand north Wales Welsh.'

Gwell gen i o lawer oedd yr ymateb a ges wrth sgwrsio â glöwr yn y Rock and Fountain yng Nghraig-cefn-parc. Bob tro yr agorwn fy ngheg i ddweud rhywbeth trawai ei glun â'i law gan chwerthin yn braf a dweud,

'Ro'n i'n gwitho'n y pwll 'da bachan o' North o'dd yn wilia'n gwmws fel ti—proper comical!'

Yr unig drafferth a gefais i gyda thafodiaith oedd y tro yr oedd fy merch ddwyflwydd oed yn chwarae gyda phlentyn cymydog a hwnnw'n dweud fod fy merch yn frwnt. Wedi syrthio a chael baw ar ei dwylo yr oedd hi a deuthum i ddeall mai budr yw brwnt yn y de ac nid creulon fel yn y gogledd.

Mantais fawr y swydd oedd cyfarfod â llawer cymeriad anghyffredin. Deuai Reuben i Abertawe yn gyson i werthu watsys ac enillai fywoliaeth dda heb dorri'r gyfraith, a hynny oherwydd ei fod yn adnabod y natur ddynol. Galwai yn y swyddfa yn syth ar ôl cyrraedd y dref gyda bag yn llawn o watsys, a mynnu fy mod yn edrych ar anfoneb i ddangos iddo dalu'r dreth ddyledus ar bob wats. Ei eiriau olaf wrth adael y swyddfa fyddai, 'Dwy i ddim eisio dim helynt gyda'r Cystoms, 'dach chi'n gweld.' Gyda'r nos byddai'n eistedd yn dawel mewn tafarn nes iddi lenwi ac i'r cwsmeriaid gael eu gwala o gwrw, ac yna tynnai sylw ato'i hunan trwy dorchi'i lewys yn sydyn i ddangos hanner dwsin o watsys am ei arddwrn a'i fraich.

'Oes rhywun am brynu wats?' sibrydai'n llechwraidd.

'Ydyn nhw wedi eu smyglo?' gofynnai'r cwsmeriaid.

'Peidiwch â holi a chewch chi ddim celwydd,' atebai, 'ond fe gewch un am deirpunt.'

Gwerthai ei nwyddau'n rhwydd heb i'w gwsmeriaid ystyried y gallent brynu wats debyg mewn siop yn y dre am hanner y pris. Wedi iddo adael byddem yn derbyn llu o alwadau ffôn, yn achwyn fod smyglwr yn gwerthu watsys, oddi wrth gwsmeriaid a oedd wedi edifarhau bod mor farus am 'fargen'.

Pan ddaeth y dreth ar werth i rym treuliais y rhan fwyaf o'm hamser yn delio â phroblemau a ddaeth yn ei sgil, ac yn lle bod yn seismon roeddwn bellach yn 'ddyn y VAT'. Yn anffodus roedd llawer o dyddynwyr Cymreig heb ddeall y dreth ar werth ac roedd yn well ganddynt dalu'r dreth na'i hosgoi trwy gofrestru.

Bûm yn teithio i bob rhan o dde-ddwyrain Cymru yn egluro'r dreth ac roedd y Llywodraeth wedi paratoi ffurflenni cofrestru yn Gymraeg. Siaradais am y dreth wrth gannoedd o ffermwyr yn yr ardaloedd mwyaf Cymraeg gan bwyso arnynt, fwy nag y dylwn efallai, i ddefnyddio'r ffurflenni Cymraeg, ond rhyw hanner dwsin yn unig a wnaeth. Gan fy mod hefyd wedi egluro'r dreth ar werth yn Gymraeg ar y teledu, penderfynodd yr awdurdodau y dylwn gael lwfans ychwanegol gan fod yr adran yn cydnabod y rhai sy'n defnyddio ieithoedd tramor wrth eu gwaith drwy dalu lwfans. Achosais gryn benbleth trwy ddiolch am y cynnig, a dweud y byddwn yn falch fel Cymro o gael lwfans am siarad Saesneg, ond nad oeddwn yn fodlon derbyn lwfans am siarad Cymraeg. Clywais fod fy mhennaeth, a oedd yn llawn hiwmor, wedi gofyn am ganiatâd i ddelio â'r broblem. Galwodd amdanaf a dweud bod yr Adran yn barod iawn i dalu lwfans i mi am fy Nghymraeg, ond roedd yn ddrwg ganddo ddweud nad oedd fy Saesneg i'n ddigon da! Doedd yna ddim ateb i hynny.

## VII

Ceir stori am bensaer, meddyg a gwas sifil yn dadlau pa un o'u tair galwedigaeth oedd yr hynaf. 'Llawfeddyginiaeth yn sicr yw'r hynaf,' dadleuodd y meddyg, 'oherwydd cymerodd Duw asen oddi ar Adda a gwneud gwraig iddo ohoni.'

'Na,' atebodd y pensaer, 'cyn hynny lluniodd Duw y ddaear allan o dywyllwch—gwaith pensaer.'

Pesychodd y gwas sifil yn dawel a gofyn,

'Ond pwy ydych chi'n meddwl oedd yn gyfrifol am y tywyllwch?'

Mae'r stori yna yn disgrifio agwedd y cyhoedd tuag at reolau'r Adran yn ddigon cywir. Y gŵyn fawr yw fod y gwaith gweinyddu dogfennol sy'n rhaid wrtho yn rhwystr i gynnydd mewn allforio a mewnforio, yn arbennig felly i gwmnïau bychain. Cyn y gall llong lwytho nwyddau i'w hallforio rhaid i'r capten gofnodi ac ateb unrhyw gwestiwn am lwyth ei long a'r fordaith arfaethedig. Nid oes toll o gwbl ar nwyddau sydd yn gadael y wlad, ond ni ellir allforio rhai nwyddau megis arfau ac offer rhyfel heb ganiatâd arbennig.

Achosir llawer o waith gweinyddu dogfennol cymhleth pan geisia cwmnïau ad-daliad (*drawback*) o'r doll a dalwyd ar nwyddau a fewnforiwyd yn y lle cyntaf. Rhaid iddynt gael yr ad-daliad pan allforiant y nwyddau cyn medru cystadlu yn y farchnad ryngwladol. Mae'n bwysig fod yr Adran yn gwybod yn iawn yr union doll a dalwyd, ac felly mae'n rhaid i'r masnachwr gofnodi hanes y nwyddau'n fanwl o'r amser y daethant i'r wlad hyd eu hallforio.

Mae gwaith dogfennol hefyd ynglŷn â mewnforio. Cychwynna rheolaeth ar fewnforio ddeuddeng milltir o'r lan. Â'r swyddog ar y llong pan ddaw i'r porthladd i edrych ar bapurau'r llong ac i gloi unrhyw ddrysau a cheuddrysau fydd yn angenrheidiol i ddiogelu nwyddau. Rhaid i bob aelod o griw y llong ddatgan ei eiddo a thalu toll arno, neu ei ddodi dan glo a sêl y Cystoms arno nes hwylio i wlad dramor. Caiff stôr y llong yr un driniaeth, ond os erys y llong yn hir mewn porthladd gellir tynnu nwyddau o'r storfa o dan arolygiaeth y Cystoms wedi talu toll arnyn nhw. Rhaid i Gapten pob llong gofrestru o fewn pedair awr ar hugain o gyrraedd porthladd a gofynnir iddo roi adroddiad am ei long, ei lwyth, a'i theithwyr gan ddisgrifio cynnwys a marc pob pecyn o'i lwyth. Er nad yw'r Capten, fel arfer, yn berchennog ar ddim o'r llwyth, dyw ei adroddiad ddim yn ddigonol i ganiatáu dadlwytho a rhaid i'r perchenogion ddatgan manylion am eu nwyddau yn ogystal.

Tra erys y llong yn y porthladd bydd o dan wyliadwriaeth ac os na ddatganwyd y cyfan bydd y perchennog yn colli ei nwyddau ac yn derbyn cosb drom. Does dim dadl nad yw hyn oll yn flin a chostus i gwmnïau ac mae'r Llywodraeth wedi torri nifer y swyddogion i'r bôn. Er bod hyn yn arbed arian mae'n peryglu'r fantais o fyw mewn gwlad sy'n rhydd o gynddaredd cŵn. Mae'r traffig mewn cyffuriau wedi cynyddu yn fawr a chyn i mi ymddeol saethwyd un o'm cyd-weithwyr yn farw mewn gwaed oer gan smyglwr cyffuriau a geisiodd ddianc. Mae'n werth cofio pan yw pobl yn teimlo'n sentimental wrth weld ci neu gath yn cael ei gymryd oddi ar deithiwr o wlad dramor, mai dim ond dau sydd erioed wedi byw ar ôl dioddef o'r gynddaredd ac mae'r farwolaeth yn erchyll o boenus!

Mae gan y Cystoms fwy o rym nag sy gan yr heddlu i dorri i mewn i dai a swyddfeydd er mwyn chwilio am nwyddau a smyglwyd. Mae'n dda gen i allu dweud na welais i'r pwerau hyn erioed yn cael eu camddefnyddio. Mae'r Adran yn genfigennus iawn o'r hen hawliau hyn a dyn a helpo'r swyddog a fyddai'n achos cŵyn gan Aelod Seneddol iddyn nhw gael eu defnyddio heb achos teilwng.

Gallai plismon honni iddo glywed bod sigarennau wedi eu smyglo yn cael eu cadw mewn ystafell breifat mewn tŷ tafarn. Pe addawai'r seismon fynd i chwilio gallai'r plismon ddweud, 'Fe ddo i gyda chi rhag ofn i chi gael helynt.'

Unwaith y byddai'r plismon i mewn dan warant y seismon gellid gweld ar unwaith mai am nwyddau wedi eu lladrata y byddai'n chwilio, a dim ond esgus i fynd i fan nad oedd ganddo hawl i fynd iddi oedd y stori am sigarennau wedi eu smyglo.

Nid y Cystoms yw'r unig adran sy'n dioddef o ormod o waith gweinyddu dogfennol. Ym 1962 daeth y newydd fod yr Eisteddfod Genedlaethol i ddod i Abertawe ym 1964 ac etholwyd fi i fod yn un o Is-gadeiryddion y Pwyllgor Gwaith o dan gadeiryddiaeth fedrus yr Athro Emeritws Stephen J. Williams. Daeth yr Eisteddfod yn ôl i Abertawe ym 1982 ac unwaith eto cefais fy ethol yn Is-gadeirydd y Pwyllgor Gwaith. Ym 1962, Ysgrifennydd y Pwyllgor Gwaith oedd yn gyfrifol am y gwaith gweinyddu i gyd gyda chymorth y pwyllgorau lleol, er iddo gael y teitl o Drefnydd ym 1964. Erbyn 1982 roedd Cyfarwyddwr yng Nghaerdydd gyda staff amser llawn yn ogystal â Threfnydd yn Abertawe ac un arall yn y gogledd. Er y cynnydd yn y staff roedd llawn cystal trefn ym 1964! Roedd y ddwy Eisteddfod yn 'Eisteddfodau'r Heulwen' ar faes hyfryd Parc Singleton.

Cawsom lawer o hwyl ddiniwed wrth bwyllgora yn enwedig yn Eisteddfod 1964 gan fod llawer mwy o gyfrifoldeb ar y Pwyllgor Lleol. Cofiaf y frwydr fawr gyda Dr Iorwerth C. Peate pan newidwyd tôn emyn 'Y Cymry ar Wasgar' o *Eventide* i *Navarre*. Roeddwn yn y Swyddfa Docynnau gyda Jac Harris, Cadeirydd y Pwyllgor Tocynnau, un diwrnod pan alwodd gwraig o Sgeti i ofyn am docynnau. Roedd yn amlwg nad arferai ei Chymraeg yn aml pan ofynnodd,

'Dau docyn i'r croeshoelio, os gwelwch chi'n dda!'

'Fe wnawn ein gorau,' atebodd Jac, 'ond pwy hoffech chi weld yn cael ei groeshoelio—Cynan ynteu rhywun arall?'

Fel arfer, roedd gwên Jac yn ddigon i rwystro'r wraig rhag digio. Dro arall clywyd dwy wraig ddi-Gymraeg yn sgwrsio:

''Dach chi'n meddwl mynd i weld yr Eisteddfod 'ma?'

'Wn i ddim, wir,' oedd yr ateb amheus.

'Dylech chi fynd,' cymhellodd ei chyfaill, 'dyma'r tro cyntaf iddi ddod i Gymru!'

Dyw casglu trethi ddim yn awgrymu bywyd delfrydol i lawer ond bu'r berthynas rhyngof fi â'r cyhoedd bron bob amser yn hynod ddymunol. Tybed be sy'n penderfynu a ydy dyn yn hapus wrth ei waith ai peidio? Deuthum i'r casgliad ei bod hi'n llawer haws gwneud eich hun yn hapus wrth eich gwaith na darganfod gwaith fydd yn eich gwneud chi'n hapus. Wrth fynd o swyddfa i swyddfa synnais lawer tro wrth weld gweithwyr yn goddef meistr a oedd yn ymddangos yn deyrn annioddefol. Bob tro y galwn yn un swyddfa byddai'r perchennog yn gweiddi ac yn rhegi'r merched er mawr anesmwythyd i mi.

'Be ddiawl sy'n bod arnoch chi? Dylai'r llyfr banc yna fod ar fy nesg i'n barod!' ac yn y blaen. Un dydd, fodd bynnag, pan elwais yn ôl fy arfer, roedd y merched yn drist a rhai wedi gadael. Pan ofynnais be oedd yn bod clywais, 'Mae Mr . . . wedi ymddeol ac wedi gwerthu'r busnes i gwmni mawr cenedlaethol.'

Allwn i ddim llai na holi, ''Dych chi ddim yn falch? Cewch eich trin yn dda gan gwmni mawr fel nhw.'

'O na,' oedd yr ateb, 'bydd hiraeth mawr arnom ni ar ei ôl. Os byddai rhywun yn sâl byddai'n galw gyda blodau a basged o ffrwythau a phapur pumpunt ynddi. Roedd fel tad i ni, ond ei fod o'n hoff o ddangos ei hun o flaen rhywun diarth!'

Er hyn, allwn i ddim peidio â gresynu cyn lleied roedd rhai perchenogion yn gwerthfawrogi eu gweithwyr. Gŵr canol oed a gadwai lyfrau un cwmni allforio a synnwn yn aml at ei wybodaeth o'r rheolau cymhleth, ond bob tro y galwn yno cwynai'r perchennog am ei gyflog, er y gwyddwn y byddai ei gystadleuwyr yn falch o roi dwywaith cymaint am wasanaeth gŵr mor hylaw.

Trwy fy ngyrfa talwyd fi i wneud yn siŵr y perchid deddfau'r Llywodraeth ac mae gen i barch greddfol tuag at drefn. Tu ôl imi bu grym y Llywodraeth gyda holl adnoddau'r heddlu a'r fyddin pe bai angen am hynny. Ni allaf gydsynio â Waldo fod y werin yn naturiol dda a phob Llywodraeth yn ddrwg. Pan yw trefn cyfraith yn dirywio'n anhrefn, y gwan sy'n dioddef gyntaf. Dyw grym ei hunan ddim yn dda nac yn ddrwg, ac ambell dro mae'n rhaid taro nofiwr sy mewn trafferth yn ddiymadferth cyn y gellir ei achub. Enghraifft syml o ddefnyddio grym er lles. Y broblem i mi yw gwybod ymhle i dynnu terfyn gan na allaf amgyffred unrhyw amgylchiad a fyddai'n cyfiawn-hau difa tref arall â bom niwclear. Bûm mewn cyfyng-gyngor ar hyd fy oes ynglŷn â phasiffistiaeth. Efallai y byddai'r Eglwys yn gryfach, er yn llai niferus, petai heb yr aelodau na allant dderbyn egwyddorion y Bregeth ar y Mynydd. Dal i fod yn aelod ydw i, fodd bynnag, gan obeithio bod llestr pridd yn well na dim. Fu'r casglwr trethi erioed yn boblogaidd iawn. Roedd yr Iddewon yn llawdrwm iawn arnynt ac er i Iesu ddweud gair da drostynt, rhyw deyrnged a thipyn o golyn iddi oedd honno hyd yn oed. Dywedodd wrth yr henuriaid a'r prif offeiriaid yr âi'r casglwyr trethi a'r puteiniaid i deyrnas Dduw o'u blaen nhw, gan led awgrymu nad oedd fawr o siawns gan y naill na'r llall. O leiaf gallaf ddweud i mi gadw gorchymyn Ioan Fedyddiwr pan ofynnodd y casglwyr trethi iddo,

'Athro, beth a wnawn?'

'Peidiwch â mynnu dim mwy na'r swm a bennwyd i chwi,' oedd yr ateb.

Am y tair blynedd olaf o'm gyrfa fel seismon symudwyd fi i Gaerfyrddin i arolygu f'ardal oddi yno gan i'r Llywodraeth benderfynu rhannu'r gwaith a wneid yn Abertawe rhwng Abertawe a Chaerfyrddin. Yn hytrach na symud tŷ penderfynais yrru'n ôl a blaen bob dydd gan ei bod yn rhy ddiweddar yn fy mywyd i feddwl am fudo, a'm cyfeillion bron i gyd yn byw yn Abertawe. Er i mi edrych ymlaen at seibiant ar ôl ymddeol, mae'r amser hamdden yn brinnach nag erioed. Heblaw am ambell i ddiwrnod yn pysgota yn y bae, mae fy nghysylltiad â'r môr a'i dollau wedi dod i ben. Mae'r ardd yn mynd yn fwy bob blwyddyn a'm prif bleser bellach yw cwmni Catrin a Mari, fy nwy wyres. Fy nymuniad yw y rhoddant gymaint o bleser i'w rhieni ag y rhoddodd eu mam, Susan, i Mary a finnau.